周鸿祎自述

我的互联网方法论

周鸿祎◎著

2014年

中信出版社·CHINACITICPRESS·北京·

图书在版编目（CIP）数据

周鸿祎自述：我的互联网方法论 / 周鸿祎著.—北京：中信出版社，2014.8
ISBN 978-7-5086-4662-6
I. ①周…　II. ①周…　III. ①网络公司–企业管理–经验–中国　IV. ①F279.244.4
中国版本图书馆CIP数据核字（2014）第131659号

周鸿祎自述——我的互联网方法论

著　　者：周鸿祎
策划推广：中信出版社（China CITIC Press）
出版发行：中信出版集团股份有限公司
　　　　　（北京市朝阳区惠新东街甲4号富盛大厦2座　邮编　100029）
　　　　　（CITIC Publishing Group）
承　印　者：北京通州皇家印刷厂

开　　本：787mm×1092mm　1/16　　　　印　张：17.25　　　字　数：152千字
版　　次：2014年8月第1版　　　　　　印　次：2014年8月第1次印刷
广告经营许可证：京朝工商广字第8087号
书　　号：ISBN 978-7-5086-4662-6/F·3216
定　　价：45.00

目 录

第三章　颠覆式创新

颠覆式创新都不是敲锣打鼓来的，而是隐藏在一片噪声里，它是代表未来趋势的一个信号，但你却通常看不到、看不懂、看不清。所以，一定不能以一种藐视的态度看待新生事物。它可能满身缺点，但是颠覆你的东西，不需要做成十项全能。它只要在一个点上追求极致，远远超过你，这就足够了。

第四章　免费时代

传统经济的本质，就是低买高卖。但互联网最激动人心的地方，在于你能给亿万用户提供非常好的产品免费用，最后你还能因此获得巨额的财富。这种模式在传统的商业世界中是无法解释的。

第五章　体验为王

在拉斯韦加斯有一个酒店，客人离开酒店的时候，门童会塞上两瓶冰镇矿泉水，免费给客人在路上喝的。这两瓶水给客人的感觉是无微不至的关怀，也是预料之外的贴心服务。这就是超出预期的体验，才是真正的客户体验。

第六章　互联网方法论

在进行微创新的时候，很重要的一点就是不要老想着做平台。无论是创业公司，还是转型互联网的传统企业，最忌讳的就是一上来就冲着宏大的平台化思维做，因为用户不会因为你做了一个平台就接受你的产品。

我的价值观

中信出版社希望我给这本书写一个序，按理说一本书的序言就是说为什么要写这本书，大体分为哪几个部分，分别讲了什么，最后还要写一些要感谢的人。我觉得这个套路有点过时，因为讲了什么，翻几页看一下目录就行了，何必要再重复一遍？所以，我在序言里就讲影响我的价值观的电影和书。

说到价值观，有的人可能要笑了：都什么年代了，还讲价值观？虽然这本书的副书名是"我的互联网方法论"，但这并不是按图索骥的说明书。你如果认为读完本书就会做产品了，就能向互联网转型了，对不起，真的是做不到。赵括把兵书读了千百遍，在纸上推演了千百遍，到了实际的战场上，还是一个输。因为无论是做互联网产品，还是传统企业向互联网转型，能不能做得成，是看你能不能创新。而能不能创新，除了靠你的技能、阅历、领导力，当然还有运气，一个重要的元素，是什么价值观在影响你的大脑。面对强大的劲敌，你不敢狭路相逢勇者胜；或者，你热衷于拉关系、走后门，梦想着整合资源；再或者，什么热你干什么，什么时髦你追什么。如果你是这样的价值观，再有钱也做不成。

看一个人是不是具备创新力，先看一点，是不是敢想敢干。这是我的第一个价值观。我 1990 年上大学，在大学二年级的时候读了一遍《硅谷热》，研究生期间我又买了一本，把它当成自己的《圣经》。那本书里讲的是硅谷创业故事，但你能感受到的更多是那种典型的硅谷气质，就是一帮毛头小伙子，想做一件产品，不管三七二十一，在屋子里车库里就敢干。苹果、微软、英特尔，这些今天的大公司，刚创业的时候都是年轻人凭借一种浑不凛的劲儿冲起来的。他们通过符合时代发展的创新产品改变了上亿人的生活，同时自己也赚得了财富，实现了财务自由。

这种敢想敢干的精神，还体现在敢于挑战大公司上。当年个人电脑领域，占垄断地位的是IBM公司。苹果挑战IBM，直接在报纸上发广告，指名道姓地说欢迎IBM来竞争。它发布的那则《1984》视频广告，是一个女孩子拿着大锤砸烂了象征着IBM的大屏幕。像这样的挑战，你看了以后就会很激动。但不好意思，在中国你要挑战大公司，很多人会指着你说你破坏行业和谐，说你没事挑事。

这本书教给我的第二个价值观，是在互联网里干，做什么都不如做一件产品改变世界来得彻底。做出一些别人没有做出来的产品，让这种产品能够影响很多人，能够改变很多人的生活，这样才值得尊敬。人的最大成功莫过于此，而不是当上中国首富。但在中国的互联网环境里，你通篇读到的，都是谁把公司卖给谁了，卖了多少钱；哪家公司上市了，产生了多少千万富翁、亿万富翁，老板身家多少亿美元。

第三个价值观，就是要与众不同。按照苹果的说法，就是"think different"（非同凡"想"），不是说不可以借鉴别人的东西，其实科技进步的过程，就是互相借鉴和学习的过程。如果你做不出伟大的发明，那仍然可以从一点小创新做起。所以，我觉得一定要和别人做得不太一样，甚至有时候要反着来，而不是随大溜，什么时髦跟什么。其实，从市场竞争来看，这是一种差异化的竞争策略。从人文角度来看，你跟别人不一样，那你才有存在感呀。

所以，我比较喜欢看那种挑战极限、挑战权威的电影，比如《黑客帝国》。我很喜欢这部电影，不是因为饰演主角的基努李维斯长得很帅，而是有一些人面对强大的敌人，试图去挑战，去改变命运。

还有一部电影，名字忘了，说的是在20世纪50年代，洛杉矶官匪勾结，一手遮天，整个城市被他们控制，很多警察和法官都被收买。然而，有一些具有正义感的警察，决定以卵击石。在强大的敌人笼罩下，他们不能暴露警察身份，组织起小分队，在基本上毫无胜算的情况下，粉碎了庞大的犯罪集团。这是美国历史上真实的例子，这里面传递出来的价值观看了会让人激动。但在我们的文化环境中，他们可能会被认为很傻，不识时务。最后，有个人问一个警察为什么干这件事。他回答说：我希望 20 年之后，我孩子问我当时做了什么，我至少可以说我还是做了那么一点事的。

这本书看完，如果你能点点头，说这本书写得还可以，能说得出用户至上、体验为王、免费的商业模式、颠覆式创新等，我觉得算是及格了。如果你读完后心里有一种激动，就像当年我读《硅谷热》一样激动，我觉得你肯定是领悟到了影响我的那些价值观。虽然我不能保证你能成功，但我可以说你正处在正确的起跑线上。

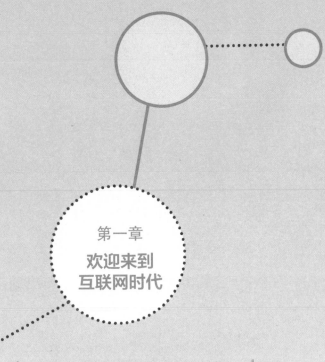

第一章

欢迎来到
互联网时代

任何企业都可以找最强的竞争对手打，但有一个对手你是打不过的，那就是趋势。趋势一旦爆发，就不会是一种线性的发展。它会积蓄力量于无形，最后突然爆发出雪崩效应。任何不愿意改变的力量都会在雪崩面前被毁灭，被市场边缘化。

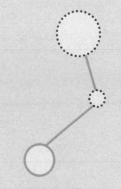

没有人能打败趋势

20世纪90年代，我在中关村工作、创业，对这个地方非常熟悉。那个时候中关村还没有改造，也没什么规划，到处都是小店铺，店里店外，人头攒动。虽然从那个时候开始，中关村就有了"骗子一条街"的称号，但人流从来没有断过，因为它是中国最大的电子器材集散地。虽然你在这里可能会上当受骗，但是你能买到东西。

后来，经过规划，大街拓宽了，高楼大厦出现了。北京的中关村e世界、海龙大厦、鼎好电子商城被业内人士称作电子商贸"金三角"。在2008年的时候，这里还是一片生意兴隆的景象。你到中关村买电脑、买相机、买配件，任何大厦门口都有热情的经理迎接你，你的手里也被塞进各种五颜六色的小广告。但是，一进门，除非你是专家，你的大脑即被这些人控制，你的购买决策也将受到他们的影响。往往你买了之后才发现，花了不少冤枉钱。而且，买之前他们笑脸相迎，买之后他们屁股相对。如果你购买的货出了质量问题，如果你运气不好，不是叫天天不应，叫地地不灵，就是被无限期地拖延，或者是踢皮球。

而且，你没有地方去给他们打差评。

如今，中关村的几座电子大厦陷入了销售额、客流量大幅下降的窘境。站在中关村e世界电子卖场的一楼大厅，偌大的商场只有稀稀拉拉的几个消费者，空空的过道与商铺里紧密摆放的电子产品形成了鲜明对比。

中关村电子大厦的没落，源自电商冲击波。而电商之所以能冲击中关村，根子在于一些商铺不讲诚信。俗话说，一粒老鼠屎坏了一锅汤。确实如此，一些商铺不讲诚信，蒙骗顾客，导致顾客对中关村产生了坏口碑，一传十、十传百，这顶帽子一旦戴上，就再也摘不下来了。

电商里面没有骗子吗？当然有。但是，在电商里面，信息是透明的，是快速流动的。出现了一个骗子，一个顾客给他差评，成千上万的顾客看到，那么他的销售量就会受影响。连续有几个差评，他就可能卖不出货了。但是，在中关村，不讲诚信的商铺今天骗了明天可以接着骗，因为很难建立一种信用机制去惩戒不诚信的商铺。

当然，电商对传统百货的冲击不仅是诚信方面，而且还在于价格和便利。360公司的总部临近望京地区，望京那里有一个华堂商场，是著名的品牌商场，2006年开业，在望京经营了8年之久。但是，这个商场在2014年4月28日正式停止营业，5月中旬全部撤离，随后改建成写字楼。当然，传统百货的衰落原因复杂，比如不合理的建筑布局、老化的硬件、缺乏创新的经营模式，但电商的冲击无疑是加速其衰落的最大的力量。

回想一下，还在几年前，电商会不会冲击实体店这个问题大家还在争论不休。有的人说，实体店有自己的优势，顾客可以现场对物品进行感知，在这点上电商比不了。结果，最终大家发现，实体店变成了体验店，顾客进来进行感知，没错。他觉得货不错，记下型号来，转头就在电商上下订单了。前一段时间，滴滴打车和快的打车两个软件打起来了，不仅免费，而且还倒贴钱。这个现象对一些传统的脑子来说，实在是无法理解、不可理喻，但它就是这么现实地发生了。等到你回过味儿来，再说"不行，我们要转型了"，这时候，你会发现人家已经遥遥领先了。

看趋势，你得在它还没起来的时候就能看到。比如，通过电商渠道销售的手机到底占整个手机销售量多大比例？我不是做手机的，但我猜测可能应该不到20%，不是最大的销售渠道，还是实体店卖得最多。那你觉得20%是一个危险的信号吗？有人觉得是，有人觉得不是。有人说：他不是还得到我店里来买吗？但是，这种趋势一旦形成，它的发展就会加速。总有一天，厂商会发现，网上卖手机是能在短时间内上规模的。在实体店买手机的顾客，可能会被现场美女销售员的一番说辞所打动，脑子一热就花了不少冤枉钱。但他一到网上买手机，立马就变成了性价比顾客，因为大量的评论在那里摆着，他能最大限度地获取信息，做出性价比最高的购买决策。所以手机厂商一旦选择网上开卖手机，网上的性价比消费文化就会逼着它必须注重性价比，就会迫使它不断牺牲在硬件上的利润，以形成更高的性价比来换取规模。最后你会发现，有一天厂商的有些手机是在网上专卖的，你在线下实体店里根本见不到。

任何企业都可以找最强的竞争对手打，但有一个对手你是打不过的，那就是趋势。趋势一旦爆发，就不会是一种线性的发展。它会积蓄力量于无形，最后突然爆发出雪崩效应。任何不愿意改变的力量都会在雪崩面前被毁灭，被市场边缘化。

互联网里的黑天鹅

谈到互联网的非线性发展，就不得不提到混沌理论。1963 年，美国气象学家爱德华·诺顿·洛伦茨提出混沌理论，证明非线性系统具有多样性和多尺度性。混沌理论认为在混沌系统中，初始条件十分微小的变化，经过不断放大，对其未来状态会造成极其巨大的影响。混沌理论最形象的比喻是"蝴蝶效应"：一只南美洲亚马孙河流域热带雨林中的蝴蝶，偶尔扇动几下翅膀，可以在两周以后引起美国得克萨斯州的一场龙卷风。

这个理论是对线性思维的一个反动。我们会按照自己的经验进行预测，认为世界会像昨天展示的那样线性发展。但世界却不是这样运行的。有一本书叫作《黑天鹅》①，说的是在发现澳大利亚之前，欧洲人认为所有天鹅都是白色的，世界上不存在黑天鹅，把"黑天鹅"比喻成不可能存在的事物。但欧洲人到达澳大利亚后却傻眼了，因为他们确实见到了黑天

---

① 《黑天鹅》中文版于 2008 年 5 月由中信出版社出版。——编者注

鹅。因此，黑天鹅后来泛指那些不可预测、意料之外却又改变一切的东西。

2008 年，对中国传统杀毒软件厂商来说，360 就是那只黑天鹅。

在 360 出现之前，杀毒软件在中国已经存在了十多年。这些厂商的收入模式就是卖套装软件，刚开始是卖光盘，一张一两百元。后来，互联网起来了，他们开始卖激活码，就是你下载软件，输入激活码，然后才能用软件。这种收入模式长期以来被认为是天经地义的，为了配合这种收入模式，他们的营销模式也基本是这样一个套路：每年的第四季度，他们会砸下一大笔钱，包下一个五星级酒店的宴会厅，把全国的代理商聚集起来，请来全国大大小小知名的媒体，宣布隆重推出的全功能版的杀毒软件。如果今年是 2007 年，那么他们会在 2007 年第四季度宣布隆重推出 2008 全功能版；如果今年是 2008 年，那么就推出 2009 全功能版。

一般在这种大会上，公司高层会用制作精良的 PPT（幻灯片）展示全功能杀毒软件的十大功能，总结出八大亮点，反正都是你记也记不住，记住了也不懂的东西，说得玄乎其玄，神乎其神。随后，报纸杂志上开始出现大量的软文，灯箱广告开始出现在大道两侧。在铺天盖地的广告轰炸下，人们就觉得这款新产品肯定牛，于是稀里糊涂地花钱就买了。

为了拉动销售，他们一般还会发布杀毒软件的免费体验版，在后面的一章里，我会讲到这属于假免费。杀毒软件的假免费鼓吹让利于民，让你免费用半年。等半年免费期一到，电脑上会给你弹出一个小窗口，说：免费期到了，该交钱换正式版了。你如果不交钱，这款杀毒软件就不再更新病毒库。

长期以来，杀毒厂商一直以卖软件为核心业务模式。他们不思进取，设立了价格门槛，只服务于一小部分用户群。所有杀毒厂商的年收入加起来，不超过 10 亿元人民币。原来杀毒软件市场行情最好的时候，平均单价大概是 100 元一套。那么这 10 个亿只保护了 1 000 万个用户。那么，中国互联网有多少用户？中国互联网有将近 3 亿用户，1 000 万用户连 10% 都不到。在这样的业务模式下，杀毒厂商只为付费的用户服务，不赚钱的事他们坚决不干。他们小富即安，每年更新一个版本，再加上软文、广告做营销，成本不高，赚取暴利，一年能卖出四五亿元就非常满意了。所以，他们不是真正关心，也不想真正解决互联网的安全问题。

这种业务模式造成了互联网的安全灾难，没有安装安全软件，或者安装了盗版安全软件的电脑都成了病毒木马的乐园。试想，在 2006~2009 年，网民到网上下载软件，得有火眼金睛，得有极高的辨别能力，否则下载的可能不是你想要的软件，而是会给你弹广告、弹色情网站的广告插件。但杀毒厂商不关心这个问题，更不会解决这个问题，因为解决了这个问题，不会给他们带来收入，他们没有动力去做这事。

流氓软件泛滥也是这个原因，这些流氓软件都是知名互联网公司做的，杀毒软件厂商是没有能力查杀吗？不是，他们有能力，但没有动力去做这事，因为做这事既不赚钱，还得罪人。

360 的出现，就像一潭死水里面游进来一条鲇鱼，把市场竞争激活了。而且，360 所激发的市场竞争不是价格战，不是比卖点，而是一次颠覆性革命，颠覆了传统的旧规则，建立起一套新的游戏规则。

有人说，新的游戏规则不就是免费吗？是，但不全是。360建立的新的游戏规则还有至关重要的一条：把安全做到极致，把体验做到极致。这可不是传统的吆喝卖货的套路，而是一套全新的互联网的玩法。如果回头来看，现在互联网里任何新生的事物，不管是小米手机还是微信，都有360革命的影子，用的也是360的方法。

有人说，360是通过免费做起来的。不对，360是通过一步一步踏实地解决网民安全问题做起来的。360安全卫士解决了泛滥的流氓软件问题，得到了最初的5 000万用户，接着又专注于解决各种未知木马的问题，得到了随后的1亿用户。但是，我们发现网民还是非常需要杀毒软件的。360最早是跟杀毒厂商合作，但是他们就只肯给半年免费版，再多一点免费就不给了。通过半年期限的免费，他们希望销售自己的杀毒软件。但我朦胧地感觉到安全软件免费是未来的趋势，彻底免费是大势所趋。所以，我们就从国外买了先进的反病毒技术，然后用了一年的时间来消化，进行了大量的本地化，再加上我们自己的技术，推出360免费杀毒，得到了随后的两亿用户。

安全问题永无止境。2008年以后游戏特别热，游戏账号和装备的失窃现象时有发生。于是我们又推出360保险箱，专门保护网游账号；我们推出360软件管家，这样网民可以下载到干净的软件，而不是下载站上乱七八糟的广告插件。我们发现网民上网的时候，大部分人中招实际上是在浏览器上发生的，因为不少浏览器都有安全漏洞，我们就推出 360 安全浏览器。我们持之以恒地做安全这件事情，没有什么热跟什么，比如 SNS（社交网站）很热，我们也没有跟。但你会发现，因为 360 持之以恒地解决安全问题，获得了用户信任，形成了用户基数，在不知不觉之间建立了商业模式。有人说这是布局，我说没有人能聪明到高瞻远瞩，看到五年后发生的事情。所有的布局，都只不过是马后炮而已。

火鸡的悲剧

《黑天鹅》里面有个故事，是讲火鸡的幸福指数，让我感受非常深。

假设你是一只火鸡，被农夫养在美国的农场。在过去的 120 天里，你都很幸福，因为农夫每天都给你吃的。所以，随着时间的推移，你的幸福指数直线上升，是线性发展的。绝大多数人都会像这只火鸡一样，站在过去看现在，站在现在预测未来。作为一只火鸡，你认为这种幸福会永远地延续下去。但很不幸，明天就是复活节了，大家知道会发生什么事。火鸡的幸福指数戛然而止，因为火鸡不知道要过复活节，复活节人们要烤火鸡吃。

传统杀毒厂商就是这只火鸡。

360 推出免费杀毒，既让传统杀毒厂商愤怒，又让他们不解，同时心里又有一种看不起。他们愤怒的是，免费杀毒跟他们原先的竞争方式根本就不一样：以前他们打的是价格战，你便宜，我更便宜；以前是营销战，你有八大功能，我有十大亮点。但 360 这一次直接以零价格闯入市场，用户一分钱都不用花。我们发布 360 免费杀毒的当天晚上，一个传统杀毒公司的老板半夜打电话给我，说：鸿祎啊，你这是干啥呢？是要跟整个行业为敌吗？你这不是要砸我们的饭碗吗？你这是连锅都要端走了。

其实，如果不是 360 砸他们的饭碗、端他们的锅，也会有其他互联网公司砸他们的饭碗、端他们的锅。实际上，互联网会砸掉很多不思进取者的饭碗，这不是由我来做的，只是我通过免费杀毒把这个道理点出来了。在推免费杀毒几年前我就说了安全要免费，但就像小孩儿说狼来了一样，大家都不相信。他们都嘲笑说：看这孩子，怎么说话这么不靠谱啊？不是我不靠谱，而是我更早地比别人看到了这个趋势。在推免费杀毒之前，我也跟几家杀毒厂商谈过，跟他们讲安全免费的道理，就跟我两年前跟手机厂商、运营商讲小米手机、讲微信的道理一样。但大家都不理我，觉得我是疯子。我说，杀毒厂商需要转型，向免费安全转型。结果，他们嗤之以鼻，说：就你一个 360，还是一个安全辅助软件，有几个安全专家？有几个懂安全的？还来教育我们。于是，我就被他们轰出去了。

结果，我们做免费杀毒，把安全的同行都得罪了。虽然我一直认为免费杀毒这一天迟早会来，但是他们当时看不到这一点，觉得我动了他们的奶酪，降低了他们的收入。我们推出免费杀毒的时候，国内最大牌的那家杀毒厂商当天连发三篇文章，说免费杀毒就是一个骗局，因为免费没好货，免费之后没有收入支持，质量没法保障。这算是好的，更有匿名文章说：周鸿祎就是个骗子，360就是个小偷；没有收入来源，360靠偷用户资料、倒卖用户资料才能养活这个公司。

我对这些口水讨伐文章也没有更多好的办法，但是我坚信一点，每个公司走的路不一样，有的行业竞争缓和一点，有的行业竞争会激烈一点，但是最终谁能够赢得用户，谁就能够赢得最后的成功。所以，最重要的是怎么把对用户的承诺做好，怎么给用户提供好的产品和服务。

结果是，360免费杀毒推出三个月之后，就成功掀翻瑞星市场份额达到第一，半年之后用户量超过1亿。在互联网面前，传统杀毒厂商都成了不幸的火鸡。

很多时候，我就像《皇帝的新装》里的小男孩儿，说了真话，但大家不相信。有一次，中国移动内部开会请我去演讲，讲完了之后，移动的领导就说：谁请周鸿祎来的？以后再也不要请他来讲话了，简直是打击我们的士气。这还是两年前的事，微信刚刚开始起步。这种手机聊天软件发文本免费，对于运营商的短信来讲，这本身就是一个免费的撒手锏。此外，微信发送图片信息不仅免费，而且体验比彩信要好得多。彩信这种产品存在已经十多年了，但如果朋友发给你一条彩信，不仅下载慢，而且还经常打不开，即使打开了，字体可能太小你根本看不清楚。微信用了两年时间，基本上中国的智能手机人手一部，今天电信运营商已经感受到微信的威胁了。对运营商来说，微信就是一只黑天鹅，因为在此之前短信免费、彩信免费根本不可思议，是不可能的。然而，黑天鹅一旦出现，运营商就可能成为一只火鸡，如果不进行转型，如果在产品体验上不能改进，那么即使明天不是复活节，总有一天复活节也会到来。

互联网思维就是一层纸

现在一些传统行业受到互联网的冲击，所以非常希望了解互联网的运行规律。于是，互联网思维似乎成了灵丹妙药，成为先进生产力、先进文化的代表。但仔细想一想，在这样一个快速变化的时代，每个企业其实都是传统企业。今天你觉得自己很先进，明天你一觉醒来就发现自己落后了。举一个例子，马云花了十多年的时间建立了支付宝，看起来牢不可破，然而 2014 年春节腾讯发起的微信红包就对支付宝的统治地位形成了冲击。连马云都在焦虑，互联网圈子里其他人能不焦虑吗？面临互联网挑战的传统企业能不焦虑吗？

微软前任首席执行官曾经对谷歌嗤之以鼻，觉得那就是一帮毛孩子为搜黄色图片做的一个玩意儿，但今天谷歌在互联网上已经彻底地击败了微软。面临着移动互联网的冲击，微软也不得不宣布向手机和平板电脑厂商免费提供视窗操作系统，来抵抗谷歌的安卓操作系统。

　　其实，互联网已经干掉了很多行业。它是一个价值的创造者，但它首先是一个价值的毁灭者，它在毁灭很多传统的商业模式，谁离互联网最近，互联网就先毁灭谁。在毁灭的同时，它再去建立新的商业模式。但请读者们不要误会，我这里说的"毁灭"是一个形象的比喻，并不是真的把你彻底消灭了，而是说你被边缘化了，你的收入不再上升了，你的商业价值和商业地位在萎缩。

　　比如，我曾经在一些场合说互联网摧毁了报纸，我立马就成了千夫所指的对象。总编们纷纷表示：我们还活得好好的，报纸还能卖，还有广告收入。但你看，无论你在电梯里，还是在地铁里，几乎每个人都拿着一部手机在看新闻，而不像 10 年前人手一份报纸在读。

　　同样，3 年后电视台一定会有紧迫感。今天的《爸爸去哪儿》《中国好声音》，看起来好像是一个节目组还必须依托于一个电视台，但中国的年青一代已经不看电视了，他们看什么都在网上看。我预计电视机的开机率会进一步下降，即使智能电视都很难对抗人类贪图便宜、方便的本性，因为人们坐在床边看手机，坐在马桶上看平板电脑，都比看电视更方便。将来出了一档很好的节目，它会直接跟优酷或者爱奇艺合作，观众很快会有上亿，节目的制作人可以直接分享广告收入。一旦这种趋势形成，电视台的意义何在呢？

　　再说另一个被互联网冲击的领域——制造电视机的大厂。过去电视机大厂互相竞争，一个是电视机部件的标准之争，比如等离子、LCD（液晶显示器）、LED（发光二极管）之争，另一个是价格战。电视机大厂打价格战是有底线的，不管怎么打电视机总是要赢利的。但现在，一帮互联网行业的野蛮人冲进来了，没有任何底线。对他们来说，卖电视机不再是一个生意。他们把电视机零利润出售，或者亏本卖给用户，然后电视机变成了他们和用户之间的一个接口，他们会用互联网的服务来挣钱，比如卖游戏、卖会员资格。传统的电视机大厂会玩吗？有能力玩吗？

雷军的小米手机为什么对传统的手机厂商形成这么大的冲击？很多人都以为我是雷军的敌人，其实不是。我是很早就认识到小米手机的毁灭性的人。小米的模式其实特别简单，就是我经常讲的互联网硬件免费的概念。也就是说，它的手机会卖得很便宜，性价比会很高，因为它不再把卖硬件看成一个孤立的生意。大家用手机看大片、玩儿游戏，看大片会产生广告收入，玩儿游戏可能会付费。所以，小米手机一出来，我就认为会对中华酷联靠卖硬件赚利润的模式产生很大的冲击。

当时我给这些手机厂商讲了互联网的很多道理，现在来看其实就是什么是互联网思维。但很可惜，没有人能理解，觉得这是危言耸听。所有的人都看不起小米，都觉得老周在开玩笑。但互联网的发展速度比他们想象的要快得多。今天，几乎所有的手机厂商都建立了独立的互联网手机品牌，也试图模仿小米玩儿饥饿营销、粉丝文化。但我可以说，这些都是皮毛，是表象。

从小米对手机的冲击，乐视对电视的冲击，再联想到之前互联网对音

乐、媒体、影视、电商的冲击，我们可以看到一个公司规模越大，业务越
成功，它在面临互联网冲击的时候可能就越危险。360 算是试水互联网思
维最早的企业之一。2006 年，360 开始进入互联网安全领域，到 2010 年
初成为中国第一大互联网安全公司，打败了瑞星、金山以及国外的传统安
全厂商。其实，大公司失败不是因为愚蠢，实际上它们有很多聪明的人
才，而往往是因为自大。大公司看不懂新的模式，所以凭借老经验，对新
生的事物报以嘲笑；但即使看懂了新的模式，它们又因为不愿意放弃既有
的业务收入而错失转型的良机，而这给了小公司足够的发展时间和空间。
以 360 为例，刚进入安全领域的时候，360 不像大企业那样有实力，更不
是安全专家。但 360 没有任何历史包袱，它从出生开始，全部基因都是新
的，它的产品一开始就是面向云的，是互联网化的。它的营销是互联网化
的，创造出了"督导委员"这样的粉丝文化，让用户参与到产品的开发和
设计中来，让用户帮助 360 持续完善产品。360 那时候没有钱做广告投放，
但能成功利用社会热点进行营销，用很低的成本把信息传递到用户那里。

今天，你必须得承认一个事实，传统的 PC（个人电脑）互联网已经
成为过去完成时，甚至今天以手机为核心的移动互联网也未必代表了未
来。在这样的新互联时代，怎样才能把原来的用户群成功地转移到新的竞
争战场？更重要的是，怎样才能在新的战场上理解新的游戏规则，甚至建
立游戏规则？

具体而言，你是不是还像以前那样，认为搞互联网免费就是疯子，是

骗子？你是不是还像以前那样，搞出八大亮点、十大功能，然后重金投入软文、广告进行地毯式轰炸？你是不是还像以前一样，跟顾客一手交钱一手交货，就再也不想与顾客打交道了？你是不是还像以前一样，做出来一款产品说不上哪儿好，也说不上哪儿不好，然后差不多就供货了……

如此等等，还有很多，问题是，你是不是感觉哪儿出了问题，但是好像又看不出来哪里有问题。是啊，按照传统的经验来判断，哪里都没有错，但是你可能没感觉到，这个时代在发生变化。

这个时代是互联网的时代，你需要互联网思维，当然不是那种越来越成为玄学的互联网思维，而是一种回归常识的互联网思维。

消费者变了，营销要玩儿新手法

这是一个剧变的时代，这句话估计没有人会否认，因为我们看到一个个曾经熟悉的大品牌、似乎战无不胜的大企业都在衰退，甚至倒下；然而，一个个名不见经传、我们也曾看不起的小公司在很短的时间里似乎就要成长为巨擘。这个剧变的时代，会给大企业以恐惧感，给小公司以希望。对互联网外的传统企业来说，恐惧感一点都不比我们从事互联网的小。你看，中关村曾经熙熙攘攘的人流不知怎么就忽然消失了，高清电视无论怎么大声宣传大尺寸、高清晰，消费者似乎都不感兴趣，看都懒得看一眼。更别说传统的报纸、杂志、电视台，纷纷出现收入下降，人员流失了。最恐惧的是，这些伤害到你业务的事情每天都在快速发生，但你却不知道为什么，更不知道怎么办。

用一句N年前的话来讲：老革命遇到了新问题。

更令人疑惑的是，满大街都是手握苹果手机的人，但平心静气地来看，苹果公司根本没有什么高科技的专利。在通信技术方面，高通、摩托罗拉、诺基亚都比苹果公司要强，苹果即使有专利，也大多是外观上的专利。但为什么苹果公司出一款新品就能席卷整个无线互联网终端，而摩托罗拉、诺基亚等很多公司却被打得落花流水？

消费者也在发生变化。今天的消费者似乎变得更加不耐心了。他们都不愿意听这个技术、那个功能，似乎不愿意被教育，"教育市场"这个曾经天经地义的口号也失去了效力。大家都不爱看说明书，都不爱静下心来学习，而是一边玩一边学，一边玩一边骂或赞，这个真烂，那个真赞。

前段时间，中国IT（信息技术）企业"教父"柳传志写了一封内部信。在信中，他重点强调了联想要建立"发动机文化"，意思是最高管理层是大发动机，而子公司的领导、职能部门的领导是同步的"小发动机"。在大发动机的带动下，小发动机不断成长，输送人才，同时也为自己争取到更大的发展平台。

然而，立即有人写文章怀疑柳传志的"发动机论"：目前的85后、90后的梦想是当一个U盘，把自己装满。"不管老大们怎么变，我们只要把U盘换成移动硬盘，再不行升级为云盘就可以全部搞掂。但是您老千万别让我们当什么发动机，因为怎么生存是我们自己的事情，哪怕有半点不爽想找个没人没车没工作，但是有Wi-Fi（无线上网技术）的地方发半年呆，立马拔盘闪人也是我们自己的事。"

其实，无论是发动机还是U盘，都是一枚硬币的两面。我是在互联网里干了将近 20 年的老兵，也很喜欢跟年轻人聊，因为他们是市场的主流，了解他们的喜怒哀乐，就相当于抓住了市场的主流。从公司的角度来看，公司希望每个人都是发动机，是创新的发动机，是能够激励其他人热情工作的发动机。从个人的角度来看，每个人都希望自己是 U 盘，吸取知识、积累经验。俗话说得好：技不压身。

但是，一些人没有明白这个道理，实际上吸取知识的过程就是在创造，当 U 盘的时候就是在当发动机。你在一个岗位上历练，发挥作用，当发动机进行创新，创造价值的时候，实际上就是在当 U 盘，在为自己积累知识、经验和技能。

另一方面，这个争论体现出今天消费者的一个特质：他们不再像我们这些 60 后、70 后一样相信权威、崇拜权威，也不会在一个高大上的口号下去奉献，甘当无名的螺丝钉。他们会怀疑，更加挑剔，更善于学习利用各种工具去挖数据，做比较。现在，互联网赋予了这些具有强大学习能力、学习意愿的年轻人以强大的工具。通过他们，互联网的影响力得到扩散。要知道，很多中年人、老年人会用互联网，就是这些年轻人教会的。

所以，如果说互联网在革命，那革命的发起者就是掌握了互联网工具的年轻人。那么，互联网革命是什么？那就是，消费者拥有了更多的知情权和选择权。在互联网上，由于信息量大，信息流动快，而且触及的范围广，这样信息很难被装进一个黑匣子里，因此就能最大限度地消除信息不对称。当年到中关村那些大厦里去买数码产品，遇到门口非常热情，满口

"大哥"、"大叔"，点头哈腰的销售经理，你会怎么想？即使我是技术出身，我心里也是咯噔一下，脑子里的警惕性立即就提高了，生怕不小心被他说得一冲动，拿出钱包就买了。就像前面讲的，你买了数码产品，原以为买到了便宜的，没承想一回头就有人递过来一张宣传单，你一看，原来还有更便宜的！

没有互联网时，信息处于极其不对称的状态，买的没有卖的精，用老百姓的话来说，就是"无商不奸"。在那种情况下，最有效的宣传方式就是利用信息不对称，忽悠消费者。消费者买东西，商家把钱拿到手，销售任务就算完成了。商家拿到钱就跟消费者说拜拜了，最后的售后服务不得不做。

今天互联网改变了这一切，消费者的话语权越来越大，产品做得好不好，体验做得好不好，成了成功的关键。在互联网时代，卖点这个观念已经过时了，因为消费者学精了，辨别能力强了，他们更愿意相信自己的朋友，而不是相信商家的吹嘘。而且，用户不是买完东西就跟你结束了关系，相反，用户买了你的产品，用你的产品，这时候，用户体验之旅才真正开始。你的产品不能形成用户强烈的认知和感知，这种广告营销就是假的，是无效的。

很多电视购物是最典型的，商家找了很多卖点，性价比看着也很强。但拿到东西的时候，你就知道自己上当了。传统的营销，通过高额的广告投入、大量的疲劳轰炸、渠道代理的地面推广等方法把货卖出去。但这种推广方式没办法形成口碑，因为用户毫无体验，它只能形成一次性的销售，大家打一枪换一个地方。今天要做一个公司，如果不是皮包公司的话，就要彻底抛弃这个思路，而是考虑怎样让你的产品到用户手里，能超出他的预期。在不能做到面面俱到的时候，在一个点上让用户感觉到绝对棒，才能真正形成一个良性的循环。

用户体验

24小时服务
7-24

核心是产品体验

十多年以前，我受邀参加一个公司的内部会议。他们公司要讨论推出一款新的即时通信产品，会上准备了很长的PPT。他们强调这款产品非常重要，可以有效整合公司的各项互联网业务，比如邮箱、门户、搜索、游戏等，是一个巨大的流量入口，对公司的战略发展具有重要的意义。

这个PPT制作精美，讲的这款产品对公司的战略意义都很对，一点没错。但是，PPT始终没有讲一个问题：用户为什么非要用这款产品？这款产品能为用户解决什么问题？这款产品与竞争对手的产品到底有哪些不同？

有不少公司就像这家公司一样，在面临挑战、面临转型的时候，首先想到的是自己是一家大公司，不由自主地就要进行平台规划，下意识地就会制定大战略。但他们忘记了一点，不管你有多么宏大的战略，多么时尚前瞻的概念，它到底能不能行得通，归根结底还在于产品能不能被用户所接受。所以，遇到希望转型的企业，我都会劝他们放弃在概念上的论证，放弃在平台上的规划，放弃所谓大战略，放弃下很大一盘棋的想法，还是应该聚焦在用户身上。

当一个企业面临转型的时候，我建议这个企业能踏踏实实地想一想：我要做的东西或者我已经做的东西，用户是什么人？用户在用我的产品的时候，会遇到什么问题？有什么问题是竞争对手没有解决好的？那可能对我来说就是一个机会。有些什么问题我做得不好，但我还可以做得更好？这代表着其中有创新的机会。

所有伟大的东西都是虚的，因为你要打开市场，最终需要撬动用户的心。这是一个切入点。这个切入点找不到，所有的战略都是空气。

所以，大的企业会有各种创新研究院，把它作为重要的战略规划之一。我觉得这都没有问题，但不少企业的创新研究院有着远大的抱负，非要搞出一个石破天惊和令人瞠目、赞叹不已的创新技术出来不可，否则就不好意思自称创新。我觉得这就陷入了一种误区。

前面已经讲过，我们现在已经进入了一个新的时代，互联网让信息更加透明，让信息流动得更快。以前用户购买商品更多是一种被动选择，没有主动权，可是随着互联网及社区的出现，消费者有更多的方法找到真实的信息，商家想要捂住根本捂不住。因为信息在手，消费者变得越来越主动。比如他们使用现在流行的比价工具，主动比较电商网站上相同商品之间的差价。他们在选择商品的时候，不是听商家是怎么吹的，而是听自己的朋友是怎么讲的。以前，朋友只有聚会的时候才能从别人那里知道什么东西真的好，什么东西真的差。现在，有了微博、微信这样的社交工具，你批评一款手机太差，或者对一个餐厅不满意，成百上千的朋友都能看到。而且，他们越来越重视体验，体验好的他们愿意去分享，推荐给朋友用；体验不好的，他们就会在朋友圈里骂，让朋友不要上当受骗。

但是，消费者变了，商家却没有变。我发现，消费者或者说用户，和公司里做产品开发的人，看问题的角度是完全不一样的。开发产品的时候，技术人员想的是：我要用怎样的技术去教育用户，让用户感觉我的产品怎样牛，技术怎样高。但用户选择产品的时候，往往这样想：这个东西到底好用不好用？到底能不能解决我的问题？他们才不关心你是用什么高超的技术做的呢。

从我跟互联网打交道这么多年的经验来看，很多创新不是从企业自身的角度出发，而是从改善用户的体验出发。有时候企业做了一些自己觉得很不起眼的创新，但是给用户带来了一种新的感觉，一种冲击。一旦打动用户，这个小小的创新，有时候我称之为微创新，实际上一点都不"微"，可能会成为占领市场的巨大力量。

我为什么不是很赞成企业设立创新研究院，非要搞出惊天地泣鬼神的产品？因为很多企业很自负，老想着怎么去搞出一个大的创新。但是，即便是一个很大的创新，即使投入很大，如果没有打动用户，也无法占有市场。企业认为不重要的东西，用户可能觉得很重要。比如微软研发Vista

操作系统的时候，着力于创造出一种新的语言和文件系统、界面。这导致研发周期很长，但从实际效果上看，Vista并没有打动用户。相反，从Win8系统开始，微软关注开机速度了。在搞操作系统的人看来，开机速度可能是很小儿科的技术，但是在用户看来，却是一个很重要的问题。

从用户的角度来看，能解决问题的产品才是好产品，能方便、快速地解决问题的产品，那就是一流的产品了。很多人说：360发展到今天的规模，从做360安全卫士开始，一步一步地布局，进行了宏伟的战略规划。用免费杀毒获取上亿用户以后，再推出浏览器，在上面建立商业模式，这个局布得好啊！我说：大哥，我从来没有布局过好不好？360刚进入安全领域的时候，连个正儿八经的安全专家都没有。360能走到今天，如果说有局的话，那也不是布的，而是在给用户一个一个解决问题的过程中不知不觉地形成的。

当年360进入这个市场时，很多杀毒公司都做了10年以上，他们把软件卖出去，把钱拿到了。他们每年做很多卖点，这个杀毒技术，那个杀毒技术，很简单的东西被他们包装得很复杂，就像化妆品说有什么H_2O这种物质可以有效改善你的肌肤，很多女孩子觉得很好，这种物质其实就是水。这都是传统的思路。但是，他们不愿意查杀流氓软件，于是360给用户解决了流氓软件的问题。他们把杀毒软件搞得很复杂，像我这样混互联网的人也得花上两个小时才能搞明白。于是我们反其道而行之，把杀毒软件搞得很简单，像个玩具，普通用户一看就明白，一用就上手。他们把杀毒软件搞得很严肃，待在电脑右下角一动不动。那我们把 360 杀毒搞得很娱乐，今天开机 36 秒，我超过了 96% 的人。大家都上过学，每天都希望自己得 100 分。就这样我们做了很多简单化的东西。

这就是我们做互联网产品的思路，我觉得这个思路也可以为其他传统行业所借鉴。360 做杀毒的时候，安全行业的老大们是非常鄙视我的，觉得我是安全行业的异类。他们最希望用户要敲一堆符号才能使用，这样普通消费者才会觉得杀毒是一件高深莫测的事。他们一直标榜自己的技术做得多么专业，多么高深。我的理念跟他们不一样，苹果就是我的榜样。我们 360 软件做得很简单，很娱乐。虽然我们的后台技术同样也很棒，但我们的使命是帮用户解决问题，而用户不需要了解我们使用了什么技术。

产品之道，大同小异。只要你是做消费类产品的，是直接面向消费者的，把产品做得简单易用，用户就喜欢。做互联网的人可以说首先感悟到了这些道理，并身体力行。同样的道理可以应用到其他行业中。我不懂餐饮，不懂航空，也不懂商旅，这么多行业我都不懂，但我相信任何行业的人都可以站在消费者的立场上思考问题。通过换位思考，你会发现，无论是虚拟的互联网服务，还是现实世界的服务，或者实体的产品，都存在着大量可以改善用户体验的机会。而你一旦开始着手改善用户体验，那就意味着创新的开始。

商业模式不是赚钱模式

现在经常有传统行业的朋友问我，互联网既然免费了，那到底怎么赚钱呢？我会一五一十地告诉他们，互联网之所以能够免费，是因为一款产品用免费获取海量用户之后，它的边际成本趋向于零，然后再通过广告或者增值服务的方式赚钱，实际上就是创造了新的价值链。

在这本书的后面，我会具体地讲免费。但在讲免费之前，必须把什么是商业模式搞清楚，因为确实有很多人把商业模式等同于赚钱模式，一说商业模式就想到怎么去挣钱。这样想是非常危险的，因为一个商业模式的基础是用户，没有用户，任何商业模式都是浮云。他们不知道一个商业模式的核心是产品，本质是通过产品为用户创造价值。商业模式还包括寻找需求最强烈的用户群，用聪明的推广方法接触这些用户，在接触过程中不断把产品打磨好，等你有了巨大的用户基础，是一定能赚到钱的。但是，如果你急于赚钱，对不起，运气好的话你可能赚点小钱，运气不好就直接完蛋。

什么是商业模式？其实，商业模式不是赚钱模式。它至少包含了四方面内容：产品模式、用户模式、推广模式，最后才是收入模式，也就是怎么去赚钱。一句话，商业模式就是你能提供什么样的产品，给什么样的用户创造什么样的价值，在创造用户价值的过程中，用什么样的方法获得商业价值。

首先是产品模式，也就是你提供了一款什么样的产品。我认为真正能在互联网里做大的公司，都是产品驱动型的公司。所有的商业模式都要建立在产品模式的基础之上。没有产品和对用户的思考，公司不可能做大，走不了多远。所以，你提供的产品是什么？能为用户创造什么样的价值？你的产品解决了哪一类用户的什么问题？你能不能把贵的产品变成便宜的，甚至是免费的？能不能把复杂的变成简单的？我认为，这是任何一个创业者在研究商业模式的时候，首先要考虑的问题。

其次，在产品模式之上，还要讲用户模式。这就是说，作为创业公司，一定要找到对产品需求最强烈的目标用户。如果你说自己的产品是普世的产品，是放之四海而皆准的产品，说明你没有经过认真的思考。

举个例子，到美国纳斯达克上市的YY是一款语音聊天工具，刚起步的时候瞄准的是游戏工会。玩家要对战，要手忙脚乱地操作键盘和鼠标，就没有时间打字。而且，游戏对战中的沟通不是一对一聊天，是多对多的团队协作。因此，YY就开发出这种语音聊天工具帮助这些游戏工会的人，这些人是产品感受最强、需求最强的一批用户。

另外一个例子是UC手机浏览器。最初UC浏览器是一个WAP（wireless application protocol，无线应用协议）浏览器，那个时候手机流量很贵，网速慢，资费高，对于使用WAP方式上网的用户，流量是他们心中的痛。UC浏览器主要针对这部分人，不仅解决了他们的上网浏览问题，而且解决了上网节省流量的问题。这是UC浏览器长期主打的诉求，而且由此建立了口碑。当然，现在我们的360手机浏览器，在用户体验上也是非常棒的。这就是用户模式。

再次是推广模式。这就是说以怎样的方式接近目标用户群。在中国，永远不要相信"酒香不怕巷子深"。如果只靠自然的口碑，即使产品做得再好，还没接触到大多数目标用户，就可能先被互联网巨头盯上了。人家一模仿一捆绑，你多年的心血就算白费了。然而，很多人一提到推广就想到要花钱，但花很多钱的推广未必是好的模式。你的产品好，但是没有钱去推广，你可能就逼着自己想出很多方法。很多公司在推广模式上的创新都是被逼出来的。一旦有了融资，钱多了，公司往往会直接砸钱做推广。这个时候即使换头猪来做市场总监，只要给他足够多的钱，他也能想到拿钱去刷地铁、刷公交、刷路牌广告，也能在市场上砸出几个泡来。但我认为这不叫推广模式，真正的推广模式是要根据你的用户群和产品，去设计相应的推广方法。

另外，砸钱式推广，或者在大公司里，有足够多的推广资源支持，往往会给人带来错误的判断，让人产生错觉，以为一推就灵，从而不再研究用户需求，不再重视产品体验，其实这是最危险的。判断是不是真正的推广，最简单的标准是把推广资源一撤，不再砸钱，看产品的用户量是不是往下掉。如果用户量一下子掉下来了，说明产品肯定存在问题。这个时候如果不对产品进行调整，你和团队将面临非常大的挑战。真正的推广是对产品的不断完善和提升。在推广的过程中，你要研究市场，跟目标用户打交道，了解用户真正的需求，了解用户使用产品时遇到的困惑和问题，再反馈到产品上进行改进，由此不断调整和完善。这样，即使推广没有取得理想的结果，但是通过推广，你发现了产品的问题，了解到真正的用户需求，发现了新的用户群，这些收获也远比单纯的产品安装量要有价值得多。

最后才是收入模式，就是通过产品获得巨大用户基数，在此前提下考虑怎样获取收入。其实，商业计划书里的收入模式基本不靠谱，如果一个创业公司真正做起来，会发现公司的收入模式往往与商业计划书的设计大相径庭。公司在发展过程中，收入模式往往不断调整，有时候真的也要依靠运气。比如，谷歌的两个天才创始人做搜索引擎，好几年找不到赚钱的方法，只能给雅虎这样的门户网站提供搜索技术服务来赚点糊口的钱。这个时候，天上掉下来Overture这个大馅饼。Overture是什么？它是搜索引擎付费点击模式的鼻祖，专门为广告客户提供付费点击服务。如果把谷歌看作媒体，那么Overture就是精细化广告代理公司。随后，雅虎收购了Overture，整合入雅虎搜索中，谷歌的AdWords（一种付费网络推广方式）借鉴了Overture的付费点击模式，形成了搜索引擎的商业模式。所以，对创业者来说，谈论收入模式，谈论如何赚钱，是最不靠谱、最没有意义的事情。

提起Overture，有时候我就想，全世界所有的搜索引擎都使用它创造的付费点击广告模式，但是Overture自己却无法成长为规模性的公司，最后落得被收购的命运（当然，对投资者而言，Overture被雅虎收购是最好的选择）。原因在于，Overture创造的付费点击模式，确实为广告客户创造了商业价值，但是作为寄生于搜索引擎的企业，Overture却并没有为用户创造价值，反而是谷歌将搜索引擎的用户价值和Overture的付费点击模式完美地结合在一起。

所以，在互联网里，创业者如果志向远大，不是满脑子想着赚几个小钱，而是一定要知道商业模式的本质到底是什么，也需要从谷歌的故事里学会一个道理：没有用户价值，就没有商业价值。

还有一个反面教材。2006年，SP公司（service provider，服务提供商）大行其道。这种增值服务通过手机收费，实际上是一种微支付，每个用户每个月5块钱到10块钱。这是非常好的收入模式，如果有好的产品或者服务，体验一流，能够为用户创造价值，那么即使仅仅积累几百万用户，一个月下来也能有几千万的收入。但是，很可惜，人的本性就是贪婪，在没有约束的情况下，人的短视暴露无遗。很多SP公司急功近利，不是考虑着怎么把服务做好，把产品做好，而是把用户当羔羊，把用户当傻子，设计出各种各样的欺诈陷阱。很多用户被"订"了很多服务，一点都不知道。有的SP甚至直接勾结运营商从用户账户上强行扣钱，最后的结果就是把这个行业全给毁掉了。

再举个例子。比如，像E-mail（电子邮件）营销，本来是一个很好的做法，有商业价值，但是后来很多人发垃圾邮件肆无忌惮。结果，发展到最后，用户对做营销的E-mail看都不看。今天，靠邮件和数据库营销的公司基本上已经没有了。

我一直强调，如果要把一件事做成功，你一定要重视用户价值，一定要把用户价值放在公司的收入之上。这在互联网行业已经成为一个规律——得民心者得天下。相反，如果不重视用户价值，为了公司一时的商业利益，不是对用户过度开采，就是做出伤害用户利益的事情，最后用户忍无可忍，还是会用脚投票抛弃你的。

还有一种所谓的商业模式，你听都不用听就会知道行不通，这就是资源型的商业模式。这样的人一开始就说自己能搞到什么资源，可以怎么样。后来事实证明，这样的公司肯定不会成功。有的人动辄就讲：我的某个亲戚在做什么，我认识电信运营商的什么领导，他可以给我什么样的资源。或者说：原来我跟政府打交道，我可以从政府拿到什么样的资源。听起来，你会怦然心动，觉得他跟政府、运营商、大国企合作，说不定就能挣到钱。

这种公司最缺的，是对互联网精神的理解，它根本就没有为用户服务的理念，所以根本不会形成用户基础。没有坚实的用户基础，商业模式越复杂，做事情的难度就越大。中国成功的互联网公司，基本上见不到只依靠政府的支持就能成功的。互联网是虚拟的东西，如果没有一种用户至上的服务精神，没有每周7天紧张工作的奋斗精神，很难做成功。最典型的例子就是几年前的那款绿坝软件，它根本无视用户的利益，想通过政府的指令强行到每个人的电脑里去插扛子。但是绿坝的下场，我们都有目共睹。

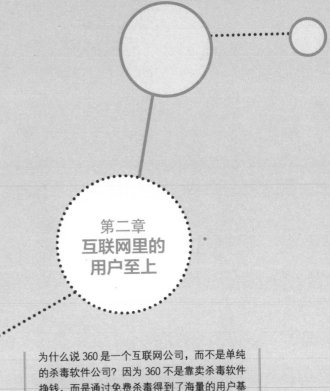

第二章
互联网里的
用户至上

为什么说 360 是一个互联网公司，而不是单纯的杀毒软件公司？因为 360 不是靠卖杀毒软件挣钱，而是通过免费杀毒得到了海量的用户基数。直到今天，360 杀毒依然不赚钱，但因为我们向海量用户推荐使用 360 浏览器，通过导航、搜索、网页游戏等业务获得了丰厚利润。这就是用户的力量。

是用户，而不是客户

20世纪90年代初，我在西安交大读研究生。但我不是个标准的好学生，一个是不愿意上课，不想给导师干活儿；一个是上课少，老是跑到外面接活儿，改善自己的生活。因为读了《硅谷热》那本书，我心里澎湃着做出一款很牛的产品改变世界的想法。

当时已经出现了计算机病毒，防病毒的手段还是用防病毒卡。那个时候已经有了瑞星公司。我搞到一本《计算机反病毒研究》，看了以后，决定研究反病毒。这个想法遭到很多人嘲笑，觉得没啥意思，没什么前途，做不起来。我发现在我的互联网生涯里，无论我搞什么，一开始大家都是不理解，不屑，甚至嘲笑。

其实，那个时候很多资料我也看不懂。但为了证明给嘲笑我的人看，我看不懂也硬着头皮看，半懂不懂地就找了两个同学一起干。当时条件很艰苦，电脑是很稀缺的东西，自己还得编程序。产品做到后面，我又开始充当产品经理和项目经理的角色。为了把产品做出来，我们还不得不找机会蹭学校机房的电脑用。

后来，我们做出了反病毒卡的原型，参加了在上海的挑战杯，还得了奖。那时得奖的很多都是导师的项目，但这个项目是我们自己原创的。

那时我读了《硅谷热》。那本书讲了乔布斯和沃兹尼亚克怎样搞出了苹果电脑，把苹果公司上市，他们都成了百万富翁。我特别想像乔布斯他们那样，觉得光拿一个挑战杯真的是没意思，要是能把防病毒卡卖出去，赚很多钱，既能过上自由的生活，同时还能让别人生活得更好，那才是伟大，那才是英雄。

于是，我和我的小伙伴们开始把防病毒卡当作产品去卖，但在真去卖的时候，才发现卖一件东西和开发一件东西完全是两个概念。也就是在卖防病毒卡的那段时间，我初步认识到什么是用户，什么是用户思维。

防病毒卡我卖出去了几十张，但这几十张卡给我惹了不少麻烦，因为卡装到客户的电脑上和装在我自己的电脑上根本不是一回事。这里面有各种各样的问题，有的是电路的问题，有的是各种软件的冲突，有的是卡做得不好，插到别人电脑上结果开机都成了问题。我疲于奔命地开始灭火，随时要去给客户做售后服务。所谓售后服务，除了给客户解决问题，其实最主要的是低着脑袋听客户骂。

客户是不听你解释的，他给了你钱，买了你的东西，就是要你给他解决问题。你的产品解决不了问题，那客户就有理由把你叫过去解决问题，你一边解决他一边骂你。

防病毒卡可以说是一件失败的产品，但给客户解决问题、挨客户骂的过程对我的帮助特别大，我从中收获的要比赚钱有意义得多。

这可以说是我第一次从象牙塔走出来，直接面对客户。客户的想法和技术人员的想法是不一样的。客户不管你用什么高科技，也懒得知道。客户花钱买了你的东西，他们要的就是解决问题。技术人员可能为自己使用了什么技术感到骄傲，但对客户来说，技术根本就没有意义。这个过程给我的另一个教训，是不同客户的需求千差万别，电脑环境也非常复杂，从研发成功到商业化成功，中间还有很长的距离要走。这个过程会生生砍掉技术人员的优越感和自负，但收获的是对什么是客户的认识，是对产品的认识。

请注意，我这里用的是客户，而不是用户。虽然一字之差，二者的意义却有很大的差别。

在传统商业时期，商家跟消费者之间的关系是以信息不对称为前提的，买的没有卖的精。商人基本上以逐利为目的。尽管人们老说客户是上帝，但在经济关系里只有两个概念，一个是商家，一个是客户。客户是谁？谁买了我的东西，谁向我付钱，谁就是我的客户。4P（product，price，place，promotion， 意为产品、价格、渠道、促销）等各种营销理论都是通过广告、宣传、推广，成功让顾客购买你的东西。这是传统的经济游戏规则，很多人的字典里可能只有"客户"这个概念而没有"用户"概念。

所以，很多传统企业在向互联网转型的时候，也只是简单地考虑在互联网上卖东西，把原来跟客户打交道的这套方法搬到互联网上，最终发现不会玩儿了。

在互联网时代，环境变了，规则变了。以前你把东西忽悠出去，让客户购买了就达到目的了。现在则不同，用户是使用你的产品或者服务的人，但他们未必向你付费。你把东西卖出去或者送出去，用户才刚刚开始跟你打交道。你恨不得通过你的产品和服务，每天都让用户感知到你的存在，让用户感受到你的价值。

让用户感知到你的存在，这一点太重要了。但传统行业的很多人对这一点不理解，说：他们又不为你付钱，白用的人多了，反而是累赘。他们不理解微信为什么免费，我告诉他们，微信虽然免费，而且腾讯也要往里投很多钱，但这对腾讯来说是小意思，因为微信为腾讯凝聚了几亿用户。有这样一个庞大的用户群，微信将来在上面嫁接O2O（online to offline，在线离线商务模式）可以赚钱，嫁接电商可以赚钱，网上发一款游戏还导致全民都打飞机，也可以赚钱。所以，腾讯将来通过微信用户群，一年何止赚几百个亿，这比靠通信收费赚钱要容易得多。但最要命的是什么？很多运营商当初不承认微信有多大威胁，认为：你们是互联网公司，没有我们运营商搭路哪有你们跑的车？

此话不假，但运营商没有发现，用户不再用你的短信了，不再用你的彩信了，不再用你的语音了，他们使用的都是微信的服务，他们从运营商的用户，转变成了微信的用户。用户才不关心路是谁修的。你作为修路的固然还会存在，但你没有了用户，或者用户无法感知到你的存在，那你的商业价值已经非常有限了。还有的运营商振振有词地对我说：我的短信收入没受影响。我心想：大哥你得看趋势啊。这就跟卖手机的一样，网上的销售量可能还比不上实体店，但它是爆发式增长啊。有一个省的运营商还跟微信合作了一把，因为腾讯劝说他们出一个微信流量包月套餐，虽然微信可能减少了运营商的短信收入，但微信用户还要耗流量，所以运营商可以在流量上赚很多钱。

这一招就彻底地把运营商打成流量管道了。我一直在反复强调用户的价值。要理解互联网的思维，那就要有用户的概念。比如，买了你手机的人，是你的客户，不见得是你的用户。给你交套餐费的人，也是你的客户，是你的衣食父母，但不是你的用户。现在人们都在网上买话费，觉得自己是在跟各个互联网公司打交道，而不是在跟运营商打交道，运营商的服务价值除了通话质量和网速，根本没有体现出来。所以，微信对运营商最大的杀伤是什么？是让运营商跟中国几亿给它交话费的人隔绝了，这是最可怕的。你看，每个月到营业厅的人才有多少？除了办新电话卡的时候人们去营业厅，平时谁还会去？这意味着运营商根本不可能再接触到用户，根本不可能理解用户的需求，根本不可能再推出新的业务，而变成了纯粹的流量商。

丢掉用户并不是说就没钱赚了。前两天有一家报纸的总编问我何为互联网思维。我问他：今天如果没有造纸厂、印刷厂，报纸能造出来吗？他说不行。我说：在新闻生产链条里面，印刷厂有价值，但我作为一个新闻读者，我在乎这是谁印的报纸吗？我不在乎。所以，印刷厂的价值在这个价值链里被边缘化了。

我想强调一个最重要的观点，就是一定要形成用户这个概念。所有传统的商业模式基本上都特别简单：我卖东西给别人，他拿了我的服务和产品，就要向我交钱。这是一个二元的关系。我们原来的字典里只有客户的概念，很多企业会把这个理念写成客户至上、客户是上帝，因为客户给企业钱，是企业的衣食父母。但互联网要颠覆这个观点，当传统企业进军互联网的时候，当然客户的钱还是要赚，但要想想谁是你的用户。用户的定义在我看来就是那些你能长期提供一种服务，能长期让他感知你的存在，能长期跟你保持一种联系的人。你只有在互联网上积累了足够多的用户，才有能力把其中一些用户转成你的客户。

没有用户，就没有客户。用户少了，客户就没了。所以，我一直强调，传统企业转型互联网，不要一上来就想怎么去赚消费者口袋里的钱。做硬件的那些企业，如果硬件通过互联网连接在一起，就会体会到用户与客户的差别。比如，以前卖手机，卖出去以后买方就跟你没关系了。他交钱成了你的客户，但不是你的用户，因为你根本不知道他怎样使用手机。你要想办法让这些人在没买你的东西的时候也能跟你发生联系；买了你的东西之后，更能跟你发生联系。

今天如果你的手机卖出了 2 000 万部，这些买你手机的人既是你的用户，也是你的客户。他们每天都在用你提供的软件，每天都在跟你发生联系。那么，你就是一个具备了互联网思维的手机厂商。但一些传统的手机厂商没有这种思维，他们会觉得产品卖出去了，就算完成了任务。这就是本质的区别。

用户是互联网商业模式的基础

今天的互联网产品虽然千变万化，但我认为在互联网上赢利模式只有三种。

第一种模式特别传统，就是利用互联网卖东西。卖真实的商品，我们叫它电子商务；卖基金、股票等理财产品，就叫互联网金融；如果卖 SPA（水疗）、虚拟的服务、餐馆的打折券，可以叫 O2O。其实这都是一类模式，即以互联网为平台，做传统生意，只是发挥了互联网的特点，就是网聚人的力量。

第二种模式是依靠广告收入。就是当你的服务不能赚钱的时候，如果有足够多的眼球，有足够多的用户，你可以向他们推荐一些其他的产品和服务，实际上这就是广告，就跟免费看电视，但电视里有广告的概念一样。

第三种模式是以网游为代表的增值服务。你可以向用户收取提供附加服务的增值服务费。举个例子，在一个网游里面，有 1 万个"屌丝"都是在免费玩，突然来了一个高富帅，他觉得自己与众不同，要当大哥，花很多钱买匹马，买把剑，还要给"屌丝"发工资，挣这些人的钱就是增值服务。不愿意花钱的人可以继续在游戏里做一个辛辛苦苦的挖矿人，或者种粮食的人。

再牛的互联网公司都逃不开这三种模式。你一定要想办法获取最大的用户群。为什么大家在网上卖基金？还是因为用户群越大，你越能节省接触每个用户的成本。一个网站只有 2 000 人访问，是不会有广告主埋单的。在今天的互联网上，比卖白粉利润还高的生意就是网游。网游的付费率都不到 5%，但这百分之几的付费率，下面有一个庞大的用户群作为基础，只有这样，你才能拥有金字塔塔尖的利润。中国曾经有家企业本来免费用户很多，付费用户大概有 3%，他们就决定把免费用户都赶走，结果是最终连付费用户都跑了。

这就是互联网的游戏规则，它决定了要想建立一个有效的商业模式，就一定要有海量的用户基数。为什么说 360 是一个互联网公司，而不是单纯的杀毒软件公司？因为 360 不是靠卖杀毒软件挣钱，而是通过免费杀毒得到了海量的用户基数。直到今天，360 杀毒依然不赚钱，都是在赔钱。但因为我们向用户推荐使用 360 浏览器，也拥有了海量的用户基数。而在浏览器上我们建立了导航、搜索、网页游戏等业务，所以，今天 360 一年几十亿的收入不是靠杀毒卖出去的，而是靠浏览器业务平台做出来的。

游戏也是这种模式。今天中国的免费游戏很多，但为什么游戏公司还有那么高的收入？因为虽然大部分人不花钱，但有一小部分人会在里面花很多钱。比如，根据我的了解，绝大多数人在QQ（腾讯的即时通信软件）上的头像都是裤衩背心，但有差不多3%的人会买QQ秀。别小看这3%，因为腾讯有好几亿的QQ用户，虽然只有3%的人愿意付费，但这也已经是巨额收入了。游戏里也一样。为什么有的人愿意花2 000元钱买一匹马，在游戏里他骑着马挎着宝剑？因为他买了这匹马，游戏里面可能有1 000个屌丝用户见了他就得喊大哥。你想一想，如果你的游戏不免费，这1 000个屌丝用户肯定不进来玩儿游戏。没有这1 000个屌丝用户喊大哥，哪个富二代愿意进来买道具？

这个道理有点绕弯，别说普通人不明白，即使行业里的人都可能一下子看不明白，有的外国人也看不懂。360上市之后，国外有一家叫香橼的公司是专门卖空中国概念股的，这家公司认为我们是全球最大的骗子，因为作为一家安全公司360从来不卖杀毒软件，所以360的收入一定是假的。这家做空公司很执着，做空了360八次，出了八份报告。

讲到这里，也许你恍然大悟，说：哦，原来互联网的商业模式是这样的，就是用免费汇聚海量的用户基数，然后或者做广告，或者提供增值服务来赚钱。那我敢打赌，其实你还没有明白用户的重要性。

虽然互联网的商业模式是基于免费，但并不是说一免费就灵。免费不是万灵药，除了免费，汇聚海量的用户基数还需要好的产品，能够为用户解决问题，而且提供一流的用户体验。

　　我说用户是互联网商业模式的基础，不是说只有汇聚了海量用户基数才可能赚钱，而是说用户本身就是商业模式的第一个，也是最重要的环节。

　　观察现实，无论是脸谱网（Facebook）、推特（Twitter）还是谷歌，所有伟大的互联网公司都有巨大的用户基础。他们获得巨大用户基础的前提，是给用户提供了若干有价值的服务。

　　这就是互联网的游戏规则。你若想先获得商业利益，就要先考虑如何创造用户价值。在互联网时代，如果一个公司还是靠传统行业那种信息不对称的营销推广方式，是很难长久获得市场地位的。现在的互联网企业即使得罪同行，也不敢得罪自己的用户。只有想办法给用户提供高品质的服务，甚至是免费服务，才能拥有一个强大的用户基础，拥有了一个强大的用户基础之后，才可能构建商业模式。

　　所以，在360公司，我们判断一款产品好不好，不是看它能帮公司赚多少钱，而是看能帮助用户解决什么问题，更进一步，在为用户解决问题的过程中，用户是不是感到简单、方便，甚至能获得一种愉悦感。我们公司提倡"拜用户教"，把用户体验从一种工具变成一种信仰，这是拜用户教的基本教义。我是360的CEO，但我对CEO有一个新的诠释，不是首席执行官（chief executive officer），而是首席体验官（chief experience officer）。

　　我养成了一种修电脑的习惯，逮谁给谁修电脑。机场、咖啡店、杂货店，只要有电脑，我就忍不住想看看是不是装了360，问一问伙计用得怎么样，顺手不顺手。其实，我给别人的电脑装360，不是为了增加装机量，360的用户量都好几亿了，也不缺这一台两台。我为别人装360，主要是为了体验一下环境。用户的电脑环境各不一样，里面装的软件也不一样，装360、运行360都会遇到各种意外情况，有可能会遇到各种软件冲突。给用户解决问题，用户才会使用360，才不会抛弃360，我们的用户基础才会扎实。在360，每个人都是产品经理，我们只有用户这一个盟友，所以只要涉及用户体验，对用户有价值，普通员工也可以推翻我的观点。

以用户为中心的企业文化是没法靠奖惩制度建立的，而是靠员工对产品发自心底的热爱，对用户的热爱。我觉得我作为首席体验官，不仅要以身作则，更要言传身教。

360 为什么要"用户至上"？

360 有一个理念，就是"用户至上"。有的人觉得 360 是在装"高大上"，认为"用户至上"是一个华而不实的口号。其实这不是装，对 360 来说，"用户至上"也不是华而不实的口号，它是实实在在的。没有"用户至上"的理念，360 也做不到今天的规模。

2006 年，几乎所有的互联网公司都在做流氓软件，就 360 出来革流氓软件的命。当时我是行业攻击对象，但用户欢迎 360。当时行业大佬们把我骂得狗血喷头，我以为我要被他们骂死了，连篇的大字报、檄文发到网上，就差登我的绯闻和裸照了。但 2006 年给了我一条最深刻的经验是，我发现用户是有辨别力的，只要你做了对用户有用的事情，解决了用户的问题，用户就会支持你。只要用户支持你，你就不用担心你的公司会死掉。

我强调用户体验为王，重视用户，用户至上，这都不是大口号。只要干互联网行业，你一定要把用户放在第一位，伺候好用户，让用户满意。

无论别人怎么给你泼冷水，骂你，只要用户相信你，你都有机会。相反，如果你的产品做不好，不能为用户解决问题，失去了用户，那别人不用骂你你自己就死菜了。

360做安全，有点像做保镖。今天在电脑里、手机里试图祸害你的，都不像以前高尚的黑客一样是为了搞恶作剧，现在他们都是为了利益。所以360在保护用户的时候，就一定会让有的人挣不到钱。中国有句俗话："干什么都别干断人财路的事。"我这么多年干的一直都是断人财路的事，所以特别招人恨。

互联网公司为什么做流氓软件？因为会劫持流量，一年收入少则千万，多则上亿。360把流氓软件杀掉了，老百姓爽了，流氓软件的受益方会高兴吗？360做免费杀毒，极大地降低了木马病毒的发作率，可以让每个人无论贫富都有权利享受安全保护。但网上做病毒的就特别恨360，因为现在每台电脑可能都有360，他们的成本高了很多。

360杀毒不仅得罪了黑道，还得罪了白道。杀毒软件厂商本来是我们的同行，但是因为360做免费杀毒，于是我成了他们的眼中钉、肉中刺。从2009年开始做免费杀毒到现在，所有杀毒厂商都在用各种方式攻击我，因为我让他们当年卖杀毒软件每年几个亿的收入都丢掉了。

2012年我们推出360搜索，公开承诺不接受医疗广告，因为虚假医疗广告太多，害人生命财产，而医疗广告真假难辨。360搜索短时间内获得了10%的市场份额，现在增长到了25%，结果让某家竞争对手公司钱挣不到那么多了。如果你是那家搜索公司的首席执行官，你是不是连杀了我的心都有？

360 手机卫士可以拦截骚扰电话和垃圾短信。如果来一个电话，360 显示这个电话有 200 人标记为骚扰电话，你可以选择接还是不接。同样，360 还可以让用户来举报、标记骚扰电话，因为 360 用户量大，很多保险公司、地产中介打过去电话，客户选择拒接，直接影响了他们的业务，断了他们的财路。于是，有的保险公司公开扬言要抵制 360 了。

前一段时间，我们又摊上大事了。很多用户抱怨新买的手机里被预装了一大堆应用软件，用不到也删不掉。在听取了这些用户的抱怨后，为了解决用户的实际困扰，360 手机助手推出了卸载预装软件功能。结果是冰火两重天，用户很高兴，但一下子就把同行得罪了，因为很多同行花了大量的金钱预装软件，这个预装软件的产业链中其实是有非常多的既得利益的。于是就像武侠小说《倚天屠龙记》里写的一样，在光明顶会战六大门派，他们纷纷绞杀我。

所以我有时候也很纠结，该不该做这些呢？但我发现，既然干了安全这件事，那就如过河卒子一样，没什么退路了。用户喜欢你、支持你，肯定就有人反对你。所以，既然干了这一行，挨骂是我必须付出的代价。

另外，我觉得骂是对我的尊重。前段时间有一个记者半挑衅地问我："我怎么觉得同行都不尊重你呢？"我说：那得看同行怎么表达尊重了。要是真的看不上我，他们都懒得提我。现在他们天天骂我，天天攻击我，还天天抄袭我的产品，这不就是在用实际行动对我表示尊敬吗？我自己觉得，可能因为我天生这种个性，所以心理上还能承受，换其他人可能早就得抑郁症了。

互联网产品的本质是为用户服务

到今天，360 能在中国互联网行业取得巨大的市场占有率，很重要的一个原因，就是我们并不仅仅是在做杀毒，我们实际上干了过去很多杀毒厂商不愿意干的事，费力不讨好的事。很多人在网上建了钓鱼欺诈网站，在百度上买竞价排名。为了让用户不上当受骗，我们做了 360 搜索保镖，把这些欺诈网站都标出来了。结果我们一分钱挣不到，却得罪了百度，百度把我们告到法院，说 360 无权标注百度搜索网页里的钓鱼欺诈网站。还有很多公司因为我们断了人家的财路，扬言要来砸我们公司。坦诚地说，这些确实不是杀毒软件应该干的，但是它确实是网民需要的，而且也为网民解决了问题。所以，要获得用户，那你就要想到怎样给用户提供更多的价值。

一款好的互联网产品，并不是把产品卖给用户就完事了。我一直认为互联网产品的本质是服务，产品本身，包括今天你用的手机，背后是电信服务。QQ聊天背后也是整套的服务。所以既然是一种服务，软件和网站都是一个载体、一座桥梁、一个窗口，通过这个载体、这座桥梁、这个窗口，你把服务传递给用户。用户的需求在不断改变，你能感觉到，就要随时调整。调整的方法可以是每天不断地改进产品，改进服务，比如发布新的版本，就属于这种狭义的持续改进。但是广义的持续改进，也包括一些运营方法，比如服务方式、服务质量的提升。所以好的互联网产品总结起来都有两个特性：第一，它要能在一个点上打动用户；第二，它一定是在持续改进、持续运营。这是互联网产品的一个魅力。

举例来说，微软的Vista操作系统其实是比较失败的产品，但是为什么早些年的XP操作系统成功了？因为在传统软件时代，微软基本上可以知道用户的需求，需求不是很多，微软花几年时间组织一些人把它开发出来，然后发布出来就可以了。但是今天互联网时代变了，花几年开发Vista，等做完了，用户的需求早就不知道变成什么样子了，市场也变了。所以他们发现里面的功能离用户需求很远。假如不考虑盗版的非法性，我觉得微软的操作系统开发者对用户需求的把握还不如那些做盗版的人。他不知道老百姓要的是安装快速，更节省资源，操作更简单。所以微软做了很多宣传，让用户觉得莫名其妙，觉得不是自己要的。虽然微软是操作系统界的巨无霸，但它拿这种思想去做互联网，就出现了很大的问题。

谷歌所有的产品，可能每几个月、每几个星期，甚至每几天都会有小的改变，这就是互联网的思路。你的产品一定是让人去用的，用户每天用，就会有很多反馈，你就不断吸收反馈。

　　Gmail（谷歌的免费网络邮件服务）于 2004 年发布，近 10 年后才把 Bate（测试版）字样去掉。今天微软如果还拿这种几年磨一剑的思路做软件，而不是用运营的思路，就是缘木求鱼，等于没有遵循互联网产品的规则，那么产品自然不会成功。所以微软最后明白不能再用自己原来的文化来做，于是它找来了雅虎的人。微软一定要遵循互联网的规则，否则，即使它原来拥有强有力的操作系统的技术，也打不过谷歌。

　　过去没有互联网之前，信息是非常匮乏的，而今天互联网带来的是信息过载，互联网上几乎有所有产品、所有服务。原来用户的转移成本很高，比如买了电视，不可能随便把它丢到垃圾堆里，所以有时候产品不完美，用户也能接受。但是今天在互联网上，大部分产品都是免费的，用户抛弃你的成本就是点一下鼠标，而且搜索引擎提供了很多便利，让用户可以找到很多同类的产品。在这种情况下，用户对产品变得更加挑剔，反过来产品激发了用户的很多需求。所以这时候谁最贴近用户，能通过自己的产品接近用户，然后敏锐地感觉到用户脉搏的变化，及时调整自己的产品，谁的产品才成功。

　　比如当年的 Winamp 软件，是最早的数字媒体播放器，还有很早的压缩软件 ZIP。这两款软件在刚面世的时候，都是互联网软件，每天都会发布新的版本，不断跟进用户变化。这一点特别重要，今天做互联网产品，绝不能闭门造车。

反过来我也在思考，为什么过去可以闭门造车？今天互联网的用户需求已经被高度刺激起来，时代在变，市场在变，用户的想法在变，而且现在的用户特别容易喜新厌旧，转移成本又很低。所以在这种情况下，你窝在屋里，自己想得再美，如果脱离市场，最后一定偏离方向，你做的东西在市场上一定不能获得成功，而且成本很高。你在屋里做了几年，产品的成本就很高了。相反无论你的想法高明与否，我认为都不如用户的选择高明，所以任何美妙的想法，都不如先把它简单地做出一点点，拿到市场上做实验：一旦对了，你马上能看到增长，并能迅速跟进；一旦不对，你调整的成本也很低。

因此不要期望某一个版本带来革命，而是要靠很多小版本来实现革命。也就是说，并不是在一开始就策划一个庞大的技术体系，而是从一个点开始切入，甚至是做一些比较简陋的原型，或比较粗糙的第一个版本，最重要的是尽快发布、争取用户，在得到市场的验证和指点之后，再进行调整。不要怕有时候重做产品，或者将来再改进产品，相反，我们有很多经验教训。有时候你从自己出发，从公司出发，规划很宏大的东西，技术也特别复杂，最后可能投入产出不成正比。

今天的互联网上，包括脸谱网、推特、WhatsApp（一款用于iPhone手机和黑莓手机的即时通信软件）等，都是在过去几年里不断滚动发展起来的。如果你掌握了互联网的规律，就可能用不多的人力，瞄准用户的点，同时在技术开发方面采用小步快跑、循序渐进、不断试错的思路，集小胜为大胜，通过点点滴滴的进展，反而超过大公司。

比如 YouTube（视频网站）有很多缺点，但是它动作很快，不断地满足用户需求。大公司做得很完美的产品，往往因为太完美了，很长时间用户用不上。用户提出来的需求，在一个简单的系统里改起来很容易。这就是做产品的两种完全不同的哲学。所以今天很多小型互联网公司，在某个领域能够战胜大型互联网公司。有时候你会感慨，这真的不是由钱决定的。

今天的互联网和以往不一样，互联网早期只有一些先知先觉的 IT 用户，这种互联网跟大众生活还没有什么关系。但是如今中国已经有了 6 亿网民，这时候网络生活和社会生活已经融为一体了，你在线下跟朋友交往，在线上同样跟他也有交往。所以这时候网上服务已经不是为极客们设计东西了，而是变成一种大众消费品，甚至变成一种快销品。

我认为推广互联网的服务，就跟卖洗发水等大众消费品一样。按照定位理论，这时候用户是记不住那么多的，他们不关心你的产业规则，不关心理论，也不关心你用什么技术。用户关心你是什么，所以你要有鲜明的定位，要告诉用户为什么用你的产品，能得到什么样的好处。

在这样的时代，做产品一定要做减法，一定要找对一个点，在这一个点上做到极致，否则你什么功能都做，最后什么功能都不突出。先不说你的资源有限，不够分配，你就是资源很多，做的产品没有特色也不会有鲜明的卖点。

举个例子。360 在起步的时候并没有掌握杀毒技术，那些杀毒软件公司也看不上360。他们更关注代理商，更关注渠道、收入，并不真正关注用户。互联网上的安全形势已经变了，用户每天都在遭受流氓软件的攻击，因为查杀流氓软件无利可图，他们也无视这个市场。我这个点，可能按照技术观点，比杀病毒要小很多，但是用户有这个需求，而且我们在这个点上非常专注，于是迅速在中国赢得了上亿用户。当我赢得上亿用户的时候，就证明我这个方向走对了，一旦证明方向走对了，我就可以迅速跟进。我招了很多技术人员，也买了很多国际先进的技术。因为流氓软件都变成木马了，所以我们接着开始查杀木马，但不能一味地查杀，还要防御、拦截木马。我们不仅有了新的查杀木马的引擎，也给机器打补丁，包括为浏览器进行防护，所以会有360安全浏览器。当我们的用户群足够大之后，我们又买了国际上最先进的杀毒技术，推出免费杀毒软件，让用户免费使用，这样就能迅速地满足用户一系列的产品需求。

但是反过来，如果当初我们野心勃勃地说要进安全领域，要做杀毒软件，而杀毒软件人家做了20年，你不可能在两个月做完，你可能要做5年，弄一个很庞大的系统，那么可能到现在360杀毒软件还没有发布，或者即使发布了，用户也不一定会接受。在互联网里，这些论点可以归结为一个实质，就是用户决定一切。

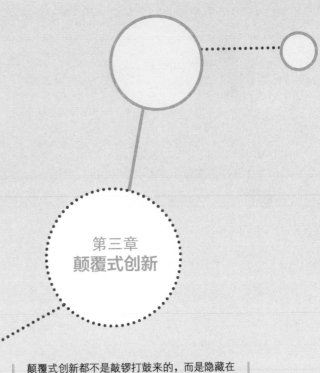

第三章
颠覆式创新

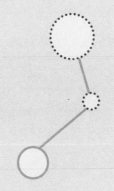

颠覆式创新都不是敲锣打鼓来的，而是隐藏在一片噪声里。它是代表未来趋势的一个信号，但你却通常看不到、看不懂、看不清。所以，一定不能以一种藐视的态度看待新生事物。它可能满身缺点，但是颠覆你的东西，不需要做成十项全能。它只要在一个点上追求极致，远远超过你，这就足够了。

颠覆式创新是人性的表达

我认为创新有三种形式。第一种形式很难发生，那就是发明。发明一种从来没有过的新技术、新材料在今天越来越难了。大家不要动辄就把创新跟发明画等号，并不是每个人都能成为爱迪生，但即便你不是爱迪生，你一样可以创新。

还有两种创新形式：一种是从商业模式上创新，就是把贵的东西做成便宜的，收费的做成免费的；一种是从体验上创新，就是把复杂难用的东西变简单，把笨重的东西变便携。我们可以发现，商业史上对市场格局的颠覆，绝大多数都是商业模式上的创新和用户体验上的创新，而不是像发明了可口可乐那样的秘方，或者像做出了电灯轰动世界，颠覆市场。

关于商业模式的颠覆，我在前面讲了免费，其实就是讲了商业模式的创新所形成的颠覆性力量。实际上，用户体验上的创新，或者说用户体验上的创新所产生的颠覆性力量，在互联网上是最多见的。

为什么免费的商业模式和用户体验上的创新会形成颠覆？因为把贵的变得便宜，把收费的变成免费，符合人性的需求。同样，把复杂的变简单，把笨重的变便携，也符合人性的需求。

商业的本质就是让人性得到释放，颠覆式创新也不例外，归根结底就是怎样满足人性。人是懒惰的，你把东西做得很简单，很多人就愿意去用。人是贪便宜的，你把东西做得便宜，甚至做得免费，很多人就愿意去用。美国指责我们中国人用盗版软件，看盗版电影。但美国人民一到中国，就会买回国大量的盗版电影。美国人民一样贪便宜，最早的团购网站是从美国起来的。为了能到餐馆吃到打折的大餐，他们同样也很踊跃。专卖店里半价甚至1折促销，不管中国人民还是美国人民，都会买一堆不用的东西带回家。这是人性在起作用。麻省理工学院曾经专门做过一个实验，发现一旦把一样东西免费，人们就丧失了理智，丧失了辨别能力，蜂拥而上。在爱贪便宜爱免费上，是不分肤色、宗教、种族的。

再举一个例子。当年惠普公司做平板电脑，每台售价是399美元，好几年没卖出几台。后来，惠普公司宣布不再生产这款产品，决定甩卖清仓，每台售价定为99美元，结果不到一天全美的存货一抢而空。这说明降价和免费的力量是巨大的。

同样，从人性的角度看，人都是懒惰的。用户选择产品，目的其实很简单，就是不要让他动脑子，不用让他费力，就能帮助他解决问题。所以，你把产品做得很简单，这就变成了产品的优势。苹果为什么这么成功？专家们分析其产业链和生态系统，说得很玄乎。其实，苹果的用户体验简单到极致，它就用这一招撼动了微软的统治地位。如果你能发现产品里还有很多痛点，还有很多不方便的地方，然后你能把它做到简单方便，那你就有可能会做出一个颠覆性的创新。

　　我经常用"小白用户"来称呼那些普通用户，有的用户就质问我：你怎么老是羞辱我们？让别人感觉我们跟大白痴一样。我说：你这是误解。人又不是全能的，小白并不是说这个人是白痴，而是说在某个领域不具备专业知识。就像我们去餐馆点菜，难道我们一定要去研究地沟油吗？我使用电脑，就一定得变成一个电脑专家吗？像我这样的，离开电脑领域，同样是一个小白。在别的领域，我选择产品其实很简单，就是不要让我去思考。今天物质这么丰富，选择这么多，同类产品这么多，我难道会为了用某些东西，一定得读上好几本说明书吗？

颠覆式创新是屌丝的逆袭

很多人对于颠覆式的创新有一个误解，以为颠覆式创新是一夜之间发生的，一出来就是高大全。其实不是，所有的颠覆式创新在刚开始出现的时候，都有一个典型的特征，那就是不被主流市场的领先者所看好，我管这个叫"屌丝的逆袭"。

下面这张图片左边是早期的个人电脑，右边是当时大名鼎鼎的苹果II，现在看起来好像是一台非常普通，甚至是简陋的机器，但当时已经算是很先进的个人电脑了。在一本书里面，作者描述了苹果之前的个人电脑，读到这里仿佛身在史前时代。

"Altair 8800 既没有键盘，也没有显示器，程序的输出输入全靠前面板上的开关和指示灯来实现。前面板中央每个开关代表一个二进制位，拨到上面是 1，拨到下面是 0。输入程序其实就是用手连续拨动开关。一段最简单的算数程序，就要拨动几十次开关。要是做个复杂的统计计算，几百次的开关拨动是必需的。程序运行后，前面板最上面的 8 个红色指示灯就会显示运行结果——当然，那也是一个二进制数字。"

早期的个人电脑和苹果II个人电脑

个人电脑一出世，浑身都是缺点，长得也不好看，甚至看不出来能解决什么问题，看不出来有什么商业价值。个人电脑在 1975 年刚出来的时候，就是一个玩具，计算能力非常差，连外壳都没有，也没有今天的显示屏，跟当时的大型主机根本不能比。当时几家做大型主机的公司都得出结论：个人电脑这玩意儿不可能成气候。所以，当工程师向 DEC 公司的创始人肯–奥尔森展示个人电脑的初期设计时，奥尔森问道："人们为什么需要拥有自己的电脑呢？"等到他同意开发个人电脑的时候，他和另一位工程师曾拆开个人电脑一窥究竟，结果他对其内部结构冷嘲热讽。

机会
累积经验

但是，个人电脑为什么成气候了？从用户体验角度出发，在个人电脑出来之前，每个人去上机，都必须穿上白大褂，换上拖鞋，到一个守卫森严的机房里面。但个人电脑第一次给了所有的用户一个冲击：只要花1 000美元，就可以在家里有一台自己的电脑，想怎么折腾就怎么折腾。它在人性上打动了消费者，它不需要做十大功能，不需要每个功能都吸引消费者。只要一个功能打动人心，就会有消费者用你的产品，你就赢得了市场，就会有不断改善产品的机会。个人电脑经过几十年不断改进，今天已经成功地颠覆了传统的大型主机。今天个人电脑的计算能力和应用丰富度，已经远远超过30年前的大型主机，这就是我说的一个屌丝实现了对高富帅的逆袭。

在计算机市场上，经常上演的是"次优者胜"，因为在占据市场主流地位的公司不注重"次优者"，没有看到"次优者"打动消费者的那一个甜点。结果，在大公司的眼皮底下，"次优者"会迅速占领市场，形成事实上的标准。

实际上，DEC公司也曾经作为"次优者"以小型机打败了IBM公司。1965年，DEC先行开发出了小型计算机，但IBM因受大型机视野制约，没有投入资源进行小型机的技术开发。直到1986年，IBM才研制出AS/400小型机参与竞争，但小型机市场的领先地位已被DEC占据了。

为什么个人电脑会先后颠覆了DEC的小型机和IBM的大型主机？今天个人电脑的计算能力的确很强大，但最初的个人电脑刚开发出来的时候，计算能力非常弱。《乔布斯传》①里有个故事，说的是乔布斯带着第一代苹果电脑去找惠普合作，结果被惠普拒之门外，因为惠普认为这只是一个玩具。当时的个人电脑既没有先进的技术，也没有强大的计算能力，唯一的优点就是方便。现在像我这样的 70 后还记得，20 世纪 90 年代初期，我们在大学里学计算机，还得换上白大褂，换上拖鞋去机房上机。你觉得方便吗？不方便。你作为工程师，可能觉得方便不方便这件事很小，但在消费者看来却很大。最后，方便的个人电脑最终打败了大型主机和小型机。

所以，颠覆式创新刚出来都是屌丝的市场，没有一种颠覆式创新刚出来就走高富帅和白富美路线。颠覆式创新刚出生时都是满身缺点，不一定是完美的，更不一定是先进的，但是它一定在一个点上做到了极致。

我举个例子。在 90 年代初期，大家还在用调制解调器拨号上网的时候，因为网速慢，图片的下载速度慢，所以互联网上的内容大部分都是文字，大家去网上看新闻，其实都是读文字的。我记得那时候，有不少传统媒体对互联网表示很大的质疑，认为互联网只能传播简单的文本，不能传输图文并茂的信息。但是，十多年来，互联网已经改变了人们获得信息的习惯，特别是当智能手机人手一部的时候，互联网最大的方便就是不用买报纸，所有的新闻都是免费的。有了搜索之后，大家就可以挑自己爱看的信息。这种体验的改变，使得很多人喜欢看互联网上的东西，传统媒体已经比不过互联网的丰富和便捷了。

---

① 《乔布斯传》中文版已由中信出版社于 2011 年 10 月出版。——编者注

360 是如何颠覆传统杀毒市场的?

有的人说，360能够做到杀毒软件市场第一，全是靠免费。这话有一定道理，360 的免费杀毒对传统杀毒市场来说，是一种商业模式上的颠覆。免费完全消除了价格歧视，把用户的使用门槛降到了零。用户使用 360 免费杀毒没有任何成本，因此就有可能一下子推广开。

但是，并不是说什么都是"免费就灵"。其实早在 2008 年 7 月，我们推出了 360 免费杀毒的测试版。说实话，效果不好。我们购买了 BitDefender（罗马尼亚安全软件品牌）的引擎，做了一些简单的本地化开发，做了做汉化，就推出来了。事实证明，不从用户需求角度出发，产品做得不好，即使免费，用户也不会买账，因为对用户而言没有价值。这款测试版的 360 杀毒太重、太卡、太笨，更重要的是不符合中国用户的使用习惯。这个失败一下子就说明，市场并不是一免费就灵的。

当时，竞争对手就像奥尔森嘲笑个人电脑一样都在笑话我们：瞧瞧，

360 号称的免费杀毒，就是这德行，说是放卫星，却放了哑炮。然后，他们就放松了心态，接着高高兴兴地去卖杀毒软件了。说实话，相对于那时收费的杀毒软件，360 杀毒测试版就是"次优品"，除了免费，浑身上下没有什么优点。360 杀毒测试版失败后，当然，我们也在反思，真的是卧薪尝胆。

反思是 360 的文化，反思不是一件负面的事情，并不是做错事情了才需要反思。每个人每天都需要反思，经验是过去的，要敢于不断否定自己。

对我来说，反思包括两个方面：第一，从过去的失败中能总结出什么经验，避免重蹈覆辙；第二，保持学习的心态，向用户学习，向竞争对手学习。

对 360 的人来说，市场份额说明不了什么问题，它只是过去的结果，并不能代表未来。所以，在公司例会上，看到一些同事以不屑的态度谈论竞争对手的产品，我会忍不住提醒他，当年我们推出 360 安全卫士的时候，竞争对手不屑地把我们称为安全辅助工具，当我们推出 360 免费杀毒的时候，竞争对手不屑地称我们简单、白痴、不专业。难道我们要重蹈覆辙，犯跟他们同样的错误吗？

我坚持要做免费杀毒。杀毒要免费，这是互联网的大趋势，即使我不干，别人也会这样干。在一年多的时间里，我们就一直埋头苦干，做了很多不起眼的工作。这些事不起眼，目标只有一个：让杀毒软件易用、有效，让用户用起来感觉爽。2009 年 11 月，360 免费杀毒正式版推出，别人以为又要放哑炮，结果我们放了一颗原子弹。

实际上，这些不起眼的地方就是微创新，就是用户体验的创新。它们聚沙成塔，集腋成裘，就能极大提升用户体验。

第一，我们先解决卡的问题，其实就是让杀毒软件变快。传统上，杀毒软件扫描硬盘时，只要发现病毒，不管是死的还是活的，它就要报。在改造BitDefender引擎的时候，我们换了一个思路想问题：像这种恶意程序，只有在运行的时候才会对电脑产生危害，这就跟一只大鳄鱼一样，它睡觉的时候是不会攻击人的。于是，我们就改变了报毒规则，不管有多少恶意程序，只有它开始执行的时候，360杀毒才会报毒，然后迅速查杀处理。这样，就提升了杀毒软件的速度，用户感觉顺畅了很多。

第二，改变了开机扫描的做法。传统杀毒软件是电脑一启动就开始进行安全扫描，一扫描就要占用大量的系统内存。用户一开电脑，就要处理一天里最重要的事，让用户等着杀毒软件，这很不厚道。于是，我们就做了一个小改变。开机后不做扫描，让用户把重要的事干完，再过一段时间才在后台开始扫描工作。

第三，改变了杀毒软件的界面。360的界面做得非常简单，只有三个按钮：快速扫描、全盘扫描、指定位置扫描。360杀毒软件刚一出来，又引起一阵哄堂大笑，人人都说：杀毒软件怎么能做得这么简单呢？怎么能做得这么白痴呢？太不专业了。事实证明，用户就是喜欢这样"简单"的软件。软件看着很简单，用户用着很方便，所有的技术都放在后台。

技术至上主义者喜欢把界面搞得跟迷宫似的，让用户看着望而生畏；喜欢把文字说明搞得跟微软的帮助文件似的，让人丈二和尚摸不着头脑。这完全违背了这样一个道理：用户选择产品，就像西方民主国家选择总统一样，永远是选择那些亲近选民的、把话说得通俗易懂的、能够代表选民利益的。技术至上主义者如果不改变思维，还生活在精英治国的语境下，用户注定是不买账的。

第四，不打扰用户。我一直认为，杀毒软件作为安全软件，是用户的保镖，出危险的时候要及时出手，平安无事的时候就得老老实实地在身后待着。还有，给用户安全提示，也得分什么时候。比如，你在全神贯注地玩儿游戏、看电影，或者演示PPT的时候，突然冒出来一个打补丁的安全提示，用户非火大了不可。所以，360免费杀毒默认开启免打扰模式，用户在玩儿游戏或者运行全屏显示的程序时，360杀毒软件不弹窗提示，推迟升级、查杀任务。这样做，第一不在用户聚精会神的时候打扰用户，第二不占用电脑资源，优先保证用户完成手头上的任务。

其实，不光是360免费杀毒，360的其他产品也有很多这样的微创新。对360来说，用户至上不是一句虚话，它切切实实通过产品展现出来了。

在360，我们提倡"三个凡是"：凡是用户提的问题，一定要追根述源，找到问题的原因，从用户的角度想解决的方案；凡是负面的信息，即使是对手的枪稿，也要找到可以改进产品的启发点；凡是竞争对手的产品，都必然有学习借鉴的优点。

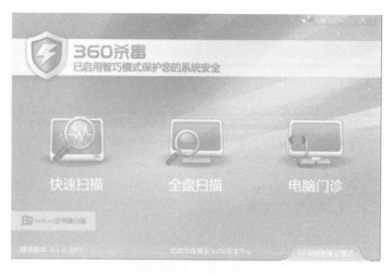

360杀毒的界面做得很简单，傻瓜化

当2010年初腾讯抄袭360安全卫士，推出QQ医生的时候，网络上不少人惊呼，这对360是一个巨大威胁。恰恰相反，我认为这是好事，这给360提供了近距离学习腾讯的机会，知道腾讯是怎样定义用户体验的。班上的尖子生要手把手地帮你提高学习成绩，多好的事儿啊。

"颠覆"和"破坏"不是贬义词

小时候，我喜欢阅读官渡之战、赤壁之战等三国故事以及《说岳全传》中的八百破十万这样的故事，可能由此也在骨子里自然埋下了以弱胜强的情结。

其实，像赤壁之战这样以弱胜强的案例可以说是战争中的颠覆式创新，但我认为这更是一种术，因为战争是零和游戏，没有产生新的价值。我更欣赏硅谷引领的颠覆式创新，我认为这是一种道，是推动社会进步的动力。

熊彼特是创新理论的鼻祖，他认为创新就是生产技术的革新和生产方法的变革，对现代资本主义的经济发展起着至高无上的作用。而他提出的"破坏性创新"，是把一种从来没有过的关于生产要素和生产条件的新组合引入生产体系。从这点来看，福特并没有发明什么新的汽车技术，但是他建立的组装生产线提高了汽车的生产效率，因此是一种破坏性创新。

我认为"破坏性创新"和"颠覆式创新"是一回事，用更地道的话说，就是商业"革命"。

颠覆式创新，就像自然界的新陈代谢一样，不断把老的、旧的公司从行业中挤出去。所以，这种颠覆式创新已经成为美国硅谷的一个象征。

破坏和颠覆，都是强调打破原有的平衡，建立新秩序。但这两个词在中文里都是贬义词，因为中国文化崇尚平衡、稳定、和谐。一说颠覆式创新，我们的潜意识就会觉得是反动的东西，就不由自主地想到阶级敌人搞破坏。我有些时候受邀给一些单位讲互联网里的颠覆式创新。讲完后，有的领导就过来跟我握手说：小周，讲得挺好的嘛，只不过以后不要讲颠覆、讲破坏，影响社会和谐。

但是，在商业环境中，一旦出现和谐，就说明市场出问题了。比如，2008 年，中国所有的奶企都按照潜规则在牛奶里加入三聚氰胺，丝毫不顾及消费者的利益，不顾及婴幼儿的健康，直到三鹿的丑闻曝出，整个牛奶行业名誉不彰，声誉遭受严重打击。

只要有市场竞争，就会有利益受害的企业。一个企业通过颠覆式创新赢得市场，那一定会有别的企业利益受损。但从另一方面看，利益受损者一定是那些不思进取、墨守成规的公司。而颠覆式创新的最大受益者，其实是用户，而不是新兴的颠覆者。比如个人电脑颠覆了小型机，让DEC等公司赚不到钱了，看起来好像微软和英特尔成为最大的受益者，其实不是。最大的受益者是用户，他们都能买到个人电脑，而且价格越来越低，功能越来越强大。所以，我有个观点，颠覆也好，破坏也好，可能它伤害了某些企业的利益，让一些公司不像过去那样赚钱了。但是，它如果带来了技术和产品进步，最后能给消费者创造更大的价值，这种破坏和颠覆就是进步的。

换句话说，颠覆式创新是好是坏，用厂商的立场进行道德评判是没有意义的。

360 是颠覆式创新者，在 2010 年用免费的商业模式和更好的产品体验颠覆了传统的收费的杀毒软件厂商，不仅砸了它们的饭碗，而且还把它们的锅给端了；在 2012 年推出反对欺诈、拒绝医疗广告的搜索引擎，从搜索巨头那里抢到了超过 20% 的市场份额。结果是，这几年，360 一直处于舆论的风口浪尖，各种谣言攻击不断。但是，360 的颠覆式创新不仅让好几亿用户装备了强大的正版安全软件，而且每年为这些用户节省数百亿元的开支。另外，360 的颠覆式创新逼迫其他安全厂商不得不向互联网转型，逼迫它们激发市场竞争和创新的动力。从这个角度看，360 的颠覆式创新不仅有利于用户，而且有利于行业。

颠覆式创新为什么总是发源于小企业？

我受邀去讲颠覆式创新的时候，一般会推荐两本书，就是哈佛商学院教授克里斯坦森教授写的《创新者的窘境》和《创新者的解答》①。我认为，不管是大公司，还是小公司，都应该熟读这两本书。它们不是灵丹妙药，但是能让你知道当你做得最好的时候，可能正是被一种看不见的力量颠覆的时候。

克里斯坦森教授经过多年的研究和观察，发现科技变革的速度和难度，都不是导致领先企业失败的原因。事实上，一旦有改良式创新的机遇，不管是大型企业还是新兴企业都会投入资源、开发产品。但是，因为大型企业实力雄厚，资源丰富，在研发中总是处于领先地位。相反，颠覆式创新或者破坏性创新提供的，是一种完全不同的套路，只有远离主流市场或

---

① 《创新者的窘境》和《创新者的解答》中文版已由中信出版社于 2010 年 6 月和 2013 年 10 月出版。——编者注

对主流市场没有太大意义的新兴市场，才会重视这些产品组合的属性；破坏性创新，会由于进入的是新兴的、迅速发展的市场，通常反倒可以获得巨大的价值。

同时，克里斯坦森还发现，破坏性创新的本质是创造新的需求和新的市场。

颠覆式创新一般都是小型创业公司做的事。小型创业公司之所以能够获得成功，就是它们正在做一些成熟企业认为不值得去做的事。尽管在技术、品牌、生产能力、管理经验、营销网络以及现金数量方面都具有优势，但大型企业对一些虽然可能代表市场方向，却不符合其赢利模式，甚至损害其赢利模式的项目上犹豫不决，进退维谷。这个时候，传统管理经验便成了大型企业依赖的路径，也正是这些成功的"经验"，当面对颠覆式创新者的时候，将瞬间崩溃。

这就是我经常说的"欲想成功，必先自宫"。

克里斯坦森对计算机产业从1952年到1995年的发展进行了深入的研究和分析，随之发现，在近50年的发展中，成熟的IT企业总是在技术和市场的发展中倒下。

比如，在1976年主导这个行业的17家企业中，到1995年，除IBM之外的另外16家企业的计算机硬盘业务都已失败或被收购。另外，这个行业中除IBM、富士通、日立和NEC公司之外，其他存活到1996年的企业都是在1976年之后成立的新兴企业。

克里斯坦森发现，计算机产业的发展过程表明，存在着两种类型的技术变革。一种延续了IT硬盘行业对产品性能的改善幅度，而且性能改善的难度有一个从渐进到突破的范围。计算机行业的主流企业在研发和采用这类技术方面，总是处于领先地位。与之相比，第二种创新则破坏或重新定义了性能改善模式，这种变革常常导致行业领先企业的失败。

由此，克里斯坦森提出了"破坏性创新"的概念。

颠覆不是敲锣打鼓来的

今天，几乎每个人都能感觉到互联网的革命性力量，每个人都在谈论互联网思维。但是大家想一想，今天互联网的排山倒海之势，颠覆一切商业游戏规则的力量，是一夜之间发生的吗？不是，所有的颠覆式创新都不是敲锣打鼓来的，而是隐藏在一片噪声里。它是代表未来趋势的一个信号，但你却通常看不到、看不懂、看不清。

所以，一定不能以一种藐视的态度看待新生事物。它可能满身缺点，你用自己的优点比它的缺点，基本上你会全胜。但是，颠覆你的这个东西，不需要做成十项全能，它只要在一个点上追求极致，做得远远超过你，这就足够了。

几年以前，我跟国内的运营商交流，就曾警告说：彩信和短信业务，要么主动免费，要么把它的体验做得更好，否则就会被另一种形式所颠覆、所取代。今天，微信不仅冲击了运营商的短信和彩信业务，连它们的话音业务也受到巨大的冲击。微信的技术没有什么特别，它也是借鉴了美国一家小公司的技术，但是把运营商收费的东西都免费了，而且体验上做得比运营商好，再加上腾讯的推进速度很快，微信就形成了对运营商的颠覆。

很多人以为360颠覆传统的安全市场，靠的是免费。错了，我们其实在用户体验上也做过很多工作，只是你用起来可能没感觉。前面我已经提到过几个360免费杀毒的例子，这里再举一个其他的例子。

有人说360的安全软件不专业，因为看起来很娱乐。我们的专业性能很强，但刻意把软件做得娱乐，这一点也没错。比如，现在流行一种"开机体"，是打开电脑后360开机小助手告诉你今天的开机时间是多长，打败了全国多少用户。今天你开机用了1分钟，你会感觉自己落后，这样你就会想办法加速。你今天启动电脑用了20秒，你在中国是前1%，你也会很开心。但我们刚做"开机体"的时候，传统的杀毒软件公司很瞧不起我们，说：怎么能把很严肃、很高科技的东西做成这样娱乐化的东西呢？实际上让消费者对产品有感知是很重要的。

360软件有体检，完成各项安全检查，最高分是100分。大家从小都想得100分，得了100分就很开心，得不了就想办法要得100分。这样，大家就会很愿意使用360的软件。我们每天给用户的电脑体检，做了很多细节的工作，其实就是让小白用户对我们的产品有感知。

不要小看这些细节，任何颠覆性的创新都是从细节入手，从不起眼的地方出发，不断纠正自己的缺点，不断地完善。当有一天你注意到它的时候，你已经无法抵挡它的颠覆性力量了。

[手写笔记]

international trade law
trade practice and compliance
including government policy
and sanctions

- FCPA
- FDA
- SEC(?)
- EEA ...etc.

捆绑
服务
式

think different

2014/10月底

337 案件价格被
打洞, 进入门槛低,
费用变成唯一或
最重要的考量.

公司对S成本不断投入

最端解决/IP风险,
预防
(救火)
?

颠覆式创新，需要逆向思维

　　我对颠覆式创新的另一种理解，就是一定要逆向思维，反向操作。苹果的口号是 "think different"，在我看来就是要跟别人逆着来，只有这样才有机会。其实，巴菲特也有一句名言：别人贪婪时我恐惧，别人恐惧时我贪婪。说实话，这是逆人性的，因为大多数人买股票都是追涨杀跌，所以他们都成不了巴菲特。因此，当你进入互联网，如果看什么主流就干什么，什么热闹就干什么，那对不起，根本就不会有你的份儿。小公司要是干和大公司一样的事，肯定干不过，因为在品牌、资金、资源各方面，小公司跟大公司根本拼不起。所以，小公司必须从大公司没看到或者看不起的地方起步，才有可能做大，才有可能颠覆。

　　推特的兴起是一种颠覆式创新，它与传统博客不一样的地方，是博客对字数没有限制，博主可以随便写；但推特限制你只能写 140 字。推特与脸谱网不一样，脸谱网是封闭的人际关系，用户之间相互要认识，是双向的；那推特就是开放的，不认识也可以，是单向的。正因为"逆向操作"，跟博客和脸谱网不一样，推特才可能做大。

大公司也一样。如果丧失了一个市场机会，别的公司通过颠覆式创新占据了市场主流，那么大公司即使投入再多的资金、资源，试图力挽狂澜，在非常多的情况下都是不成功的。

前面讲过，DEC通过小型机冲击了IBM的大型机市场，结果IBM用个人电脑打败了DEC。但故事还没完，我认为从根子上来讲，IBM就没把个人电脑当回事，只是把它当成了一个狙击工具，是为了保证自己大型机的销售利润。所以，IBM为了集中精力进行硬件开发，就把个人电脑的操作系统授权给了微软。没想到，随着IBM个人电脑兼容机大规模普及，微软和英特尔占据了个人电脑产业系统的核心位置，而IBM硬件逐渐被边缘化了。

IBM曾是世界上最大的计算机公司，也曾是世界上经济效益最好的计算机公司。1985年，IBM的通用大型机毛利率高达85%，中小型机毛利率高达50%，占世界通用大中型计算机市场的70％。然而，20世纪80年代后期开始，计算机向小型化的个人电脑发展。到了1993年，IBM连续亏损已高达168亿美元。IBM已不是电脑业的象征，电脑业有了新的偶像——微软和英特尔。

为了争夺个人电脑浪潮的主导地位，IBM和苹果结成了联盟，推出PowerPC芯片，目的是撼动英特尔对个人电脑业的控制。接着，IBM重点开发OS/2，来抢夺微软视窗系统在台式机上的市场。

但这种针锋相对的策略并不奏效，因为随着康柏和其他电脑制造商加入微软的阵营，IBM打阵地战的策略失败。90年代中期，IBM的新任董事长郭士纳做出决定，放眼未来，不再以OS/2和微软视窗系统在台式电脑上竞争，而是向软件和服务转型。

IBM试图通过阵地战撼动微软和英特尔的地位，结果失败了。10年后，苹果公司另辟蹊径，用一种新的方式建立了新的产业形态，撼动了微软和英特尔的领导地位。

再比如，大家公认中央处理器的王者是英特尔，有一家公司AMD一直在跟英特尔竞争，却一直不能超越英特尔。为什么？因为AMD一直跟着英特尔的游戏规则走，比谁计算能力更强。

但另外一家公司却在另一个层面上打败了英特尔，这家公司是ARM。ARM不比谁的计算能力更强。它就比功耗低，就做低端市场，就做不起眼的手持设备。手持设备最致命的就是耗电、发热。但当手持设备流行起来，手机、机顶盒、汽车、家用电器里面都是轻量级的中央处理器，ARM就起来了。ARM也投资不起英特尔那种10亿美元的大工厂，它就把所有的设计方案输出。今天苹果、三星、华为都做自己的芯片，但都是靠ARM的授权。这就像美国人不在本土打仗，却到其他国家空投AK47步枪，结果英特尔就陷入了人力战争的汪洋大海。反过来今天英特尔要学低功耗、低计算能力反而很痛苦，因为这需要引刀自宫。

　　颠覆式创新做好了，你会让对方所有的优点都变成包袱。今天ARM开始做服务器，开始向英特尔发起进攻。服务器本来是功耗最高的设备，但是今天大家开始讨论怎样建一个计算中心把功耗降下来，这就是ARM创造的新的游戏规则。

　　各种商业战争的案例，都教给我们一个道理，就是当你面对强手的时候，一定不要按照它的节拍跳舞，按照它的节拍跳舞你就死定了。你要想办法通过反向思维，通过逆向操作，在用户体验和商业模式上创造一种新的游戏规则。

Don't be a follower.
Be a leader of yourself.

远
逆向
方向
不同

乔布斯是如何对苹果进行颠覆的?

乔布斯在 1997 年重返苹果之后,在最初的三年也曾经在热门的个人电脑上进行微创新。比如,他设计了一些苹果机彩壳,一时间争取到了眼球,但并没有成功,卖个人电脑卖不过戴尔,卖系统卖不过微软。没办法,乔布斯只好从大公司看不上的 MP3 开始。

我认为,从 2001 年做 iPod 开始,乔布斯带领苹果重新踏上了创业的道路。iPod 是一款 MP3 播放器,当时 MP3 已经满街都是。对于像微软、戴尔这样的大公司来说,MP3 没有前途、没有价值。以马后炮的方式来看,乔布斯做 iPod,实际上是打了一场侧翼战,避开了当时主流竞争对手的主战场,通过微创新,达到了颠覆市场的目标。

有人说,乔布斯的一生是神一样的传奇,但我觉得苹果的成功并不是高瞻远瞩、缜密规划的结果。从 iPod 到 iPhone,中间究竟发生了什么? 这是一个值得琢磨的问题。

乔布斯二次创业，是从一个普遍需求开始的，这是他成就一项伟大事业的基础。有人说，乔布斯善于创造需求，我觉得这是扯淡。没有人能够创造需求，对音乐的需求是人类与生俱来的，乔布斯所做的，只不过是通过 iPod 把听音乐的体验做到了极致，满足了人们的需求。

iPod 之所以能够流行，首先在于它一流的设计，跟其他 MP3 相比，iPod 鹤立鸡群。再一个微创新，是里面的东芝小硬盘，号称可以存储 1 万首歌，一辈子都听不完。从 iPod 开始，每一个微小的创新持续改变，都成就了一款伟大的产品。在 iPod 中加入一个小屏幕，就有了 iPod Touch 的雏形；有了 iPod Touch，任何人都会想到，如果加上一个通话模块打电话会怎么样呢？于是，就有了 iPhone；有了 iPhone，把它的屏幕一下子拉大，不就变成了 iPad 了吗？

然而，一切看似眼花缭乱、万象丛生的东西，无一不是从那个"一"开始，那个"一"就是 iPod。要知道，当苹果推出 iPhone 的时候，iPod 在全球的销量已经超过了 1 亿部。这 1 亿多部 iPod 不仅为苹果创造了口碑，创造了品牌，而且也为苹果捕捉了不少消费者的体验。没有这个台阶，如果乔布斯一下子上来就做 iPhone，也不见得会成功。

后来，乔布斯和苹果成了不少人崇拜的对象，大家开始学乔布斯做手机、做应用商店、做各种平板电脑。齐白石说过一句话："学我者生，似我者死。"意思是，抄袭商业模式表面上来看最省劲，但简单抄袭肯定死，真正学到精髓的才可能生存。所以，如果要学习乔布斯，就要学习他的精髓，那一定得从 iPod 学起。这就像一个人吃了七个馒头吃饱了，你就觉得第七个馒头很神奇，看是用什么特殊面粉做的。这样学习乔布斯，肯定是舍本逐末。现在，大家觉得应用商店简直是神来之笔，但应用商店根源是在 iTunes——既然能在 iTunes 上卖歌，那么为什么不能在应用商店卖软件和游戏呢？

乔布斯的战略不是大跨步的战略，而是一步一步地走，每一步都是在不断地捕捉当前的用户需求和市场状态。像每一个创业者一样，乔布斯进入这个未知领域，刚开始一定没战略。一些咨询公司做战略规划，往往是针对一个成熟的行业，是对一个已有的成熟套路的总结和改良。但是，当你进入一个未知领域，刚开始一定是摸着石头过河，什么都是未知，你得凭着自己的经验和直觉去把握每一步。对于苹果来说，这种直觉和经验就是做 1 亿部 iPod 所积累的经验，以及它多年来做苹果电脑时积累的失败教训。因此，直到苹果做 iPhone，咨询公司的那套战略规划模式才会有效，在此之前都是在摸索，没什么战略。

商业历史上的颠覆式革命都是从一个小点开始，大概要持续 5~10 年，不会立即发生，所以就容易被忽视，甚至连颠覆者本人也未必能意识到自己是否做的是颠覆式创新。

be the general counsel
for in-house
the point of contact
"project manager"

coordination
counseling

乔布斯的拿来主义

别人强的的.
自己结合

1997年乔布斯重返苹果之后，苹果在核心技术上全面采用了拿来主义的策略，也就是说苹果产品上的很多东西核是别家的，或者是收购的，然后再在外面加一个壳。比如，iOS操作系统和Safari浏览器都是在别人的核心上加了一个苹果自己的壳。这是乔布斯对过去的自己的"反叛"，在我看来，这就是拿来主义。

就他的技术和产品思路来看，拿来主义就是不再重复发明轮子。相比之下，微软做东西很累、很辛苦。比如，视窗操作系统是微软自己从底层做起的，再加上自己的应用软件，要考虑跟老版本保持兼容，还要考虑支持世界上各种硬件驱动。乔布斯之前跟微软斗得厉害，但重返苹果后，苹果放弃了之前啥都自己做的路线，而是采用拿来主义的策略，比如iPhone上的不少模块就是现成拿来的，还有多点触摸屏技术。有一次，我跟一家运营商讲：你看人家苹果既没有试图去占领技术制高点，也没有非要建一套通信标准，而是把用户体验做到极致，一样在手机市场上搞了个天翻地覆，打败天下无敌手，甚至整合出 iTunes、应用商店来。这种对既有技术的整合难道不就是一种创新吗？

过去，不少人有一个观点，认为从底层做出来的原创才叫创新，觉得做出核心来很重要，在核心上做什么反而不重要。但是，他们不明白，在某种程度上，壳比核还重要。用户体验好不好，都体现在壳上，都反映在你在核心上做了什么。苹果从 2001 年开始推 iPod，这种满大街都是的 MP3 播放器并没有什么核心技术，但是苹果持续多年在壳上下功夫，追求极致，创造出一流的用户体验。这是决定 iPod 畅销不衰的基础，同时也创造了苹果进一步改变数码工业的条件。

乔布斯的拿来主义值得我们反思。拿来主义告诉我们，并不是什么都自己做才叫高科技。过去，很多技术公司从自己出发，千辛万苦做出一个东西来，觉得用户看不明白，没有热烈欢迎，就要去教育市场，教育消费者，高调宣传其中的核心技术。相反，苹果没宣传哪些技术是自己十年磨一剑磨出来的，但是用户只要一用就觉得好，就上瘾。所以，我觉得技术不管是不是自己原创的，只要能给用户带来比别人好的、一流的体验，那么就是在创新，这种创新与做出核心技术同样重要。

其实，乔布斯也吃过技术的亏。他离开苹果后，创办了 NeXT 公司，也是比较偏重以技术为主导驱动市场，结果市场并不买账。本质上说，乔布斯并不是搞技术出身的，苹果公司的另外一个创始人沃兹是真正的技术出身。但正是因为乔布斯不是搞技术的，所以在他眼里技术不是产品的根本。相反，很多技术出身的人过于迷信技术，变成了为了技术而技术。技术本来是手段，结果成了目的。为了技术而技术，其结果就是忽略了消费者。所以，我也经常告诫技术人员，包括我自己，做好产品服务消费者才是根本，用谁的技术、用什么技术都是手段而已。

所以，乔布斯重返苹果，应该是带着对时代的一种新认识，也是他离开苹果之后不断反思的结果。如果他早 5 年重返苹果，他的拿来主义很难成功，在当时不太可能成为主流。今天苹果产品表现出来的那种流畅的感觉，当时的软硬件即使能支持，也非常昂贵。但摩尔定律发展到今天，软硬件的条件具备了，用户体验时代来临了，于是乔布斯趁势而起，一发而不可收。

颠覆的力量来自于侧翼和聚焦

有两位大师，一位是艾·里斯，一位是杰克·克劳特，他们合著的《定位》是市场营销领域的一部划时代的著作。他们后来提出"品牌再定位"的理念，写了一系列的书，其中有一本叫作《营销战》(*Marketing Warfare*)，有人翻译为《商战》。这本书是值得创业者好好读的，里面讲了很多以少胜多、以弱胜强的案例。我从里面总结出来一个感悟，就是颠覆的力量从来不是来自于主流的、热门的市场，而是来自于边缘地带，来自于侧翼。

我很喜欢读军事作品，在一定程度上，商战和战争有相通之处。比如，第二次世界大战期间，美英盟军开辟第二战场，是选择德国想不到的诺曼底去突破，而不是从德国军队防守最严密的地方去强攻。在商业历史上，颠覆的革命从来不是敲锣打鼓实现的。如果报纸、杂志、电视台连篇累牍地报道，连大街上的老太太都能说出两句，那么对不起，行业的老大哥们早就写了厚厚的分析报告，早就做了战略部署，重兵把守，就等着你来，这个时候想要颠覆，根本不可能了。所以，颠覆的力量一定来自那些老大哥们看了不屑一顾的事情，或者根本看不清、看不懂的事情，甚至是巨头们嘲笑的事情。

其实，无论是俞永福做UC，胡泽民做91，还是我在做360，能够发展到今天，是因为行业的巨头看不清、看不懂，给了我们三五年成长的时间。如果你做的事情行业巨头一看立马就反应过来了，那就算你把三个周鸿祎绑在一块儿也做不成。

所以，遇到创业者，我都强调一点，不要满脑子想着做平台，而是要找一个大公司看不到的角落，给用户解决问题。平台是大公司玩儿的事情。颠覆要的是微观力，而不是平台力。平台是产生不了颠覆力量的，大公司之所以能够成为平台，是因为它在解决用户问题的过程中把规模做大了，自然就变成了一个平台。而对我们这些没有资源、比较苦逼的创业者来讲，真正的颠覆力来自微观的地方，来自侧翼，来自边缘，来自把资源聚焦在一点上追求极致。我们经常讲，做得简单也好，做得便宜也好，最重要的是极致。

像马克·安德森本来是有机会把Netscape做成一个与微软匹敌的伟大公司的，但是他犯的一个致命错误，是在Netscape浏览器还没有打下深厚根基的时候就开始与微软公开叫板，惊醒了沉睡的微软。结果可想而知，微软利用垄断地位在操作系统中捆绑IE浏览器，就把Netscape赶出了市场。

所以，如果你心里想着要颠覆巨头，第一一定不要大声说出来，第二一定要打侧翼战。最忌讳的，就是看到巨头在那里大快朵颐，你冲进去要跟巨头分一杯羹。创业者要有一种坐冷板凳的精神，因为你做的不是最热门、最时髦的事情，媒体可能不想报道，排行榜也不给热评，你不要觉得没有意思。现在，很多企业都在做点评，但 10 年前张涛做大众点评的时候，有人看到它的商业模式吗？肯定很多人都是不屑一顾的。

<u>创业小伙伴们最好低调些</u>。好不容易有了一个想法，千万可别恨不得敲锣打鼓，今天去新浪做访谈，明天到搜狐亮个相。其实，创业早期的时候，最好不要让巨头看见，要适度地参加行业会议。但是，更多的时间应该跟普通用户泡在一起，琢磨他们有什么感性的需求，有什么问题没有得到解决，然后把你有限的力量聚焦在侧翼的单点上。3 年之后，等你再亮相的时候，你会发现巨头就看不明白了。等它终于看明白了，就已经望尘莫及了，这样你才能真正获得颠覆的可能。

《创新者的窘境》《柔道战略》和《定位》

无论是互联网里刚刚起步的创业者，还是面临互联网挑战，准备进行转型但不得法的传统企业家，我认为有几本书值得反复去读。大家老觉得我喜欢挑战强者，说：你干吗没事找事挑战巨头呢？我说：大哥，真不是我闲得没事去挑战巨头玩儿，是我一个小公司要活下来，要有出路，但这些巨头公司不让我长大。还有的说，我可以避开巨头，去找蓝海，不是有著名的蓝海战略吗？那你告诉我，哪里是蓝海？中国这么多聪明人，全世界这么多聪明人，你想了一个主意，我估计 10 000 个人都想到了，1 000 个人已经开始干了，100 个人已经干得差不多了。而且在中国，如果你是在 TMT（电信、媒体和科技）领域、互联网领域里，无论你进哪个领域，大公司在旁边看着，一看你干得差不多了，它就要跟进去和你竞争。跟巨头的竞争是所有创业者避免不了的一堂课，所以要学会跟这些巨人作战。

前面我提到过《创新者的窘境》和《创新者的解答》这两本书，我认为这两本书讲的就是如何进行颠覆式创新，里面提到的策略非常实用。我也看过很多管理理论方面的书，很多理论书籍我也看不懂，但《创新者的窘境》和《创新者的解答》这两本书我推荐大家一定要看。你可能经常刷微博，但是在微博上你是得不到智慧的，大家还是要看书才行。微博上是像方便面一样的东西，各种心灵鸡汤，140个字的总结如果能让你顿悟，那你算是高人。但是，那些心灵鸡汤其实都是正确的废话。所以，我还是提倡大家要看书。有几本书是我这几年来常看的，反正每次遇到困难的时候，我都会带着问题去翻这些书，看看能不能在这里面找到解决方案。

有一本书叫作《柔道战略》，讲的是小个子如何打败大个子。如果你把《创新者的窘境》看成颠覆式创新的道，那么《柔道战略》讲的基本上就是颠覆式创新的术。它就是讲了一些策略，一些容易操作的方法。比如，面对强大的巨头，你在自己实力还不行的时候就要装小狗，用咱们中国话来说，就是要低调，要当孙子。但我们看见有的人什么事还没干呢，就天天去新浪微博做访谈，天天接受媒体采访谈自己的宏伟理想。但这些有用吗？用户不会为你的宏伟理想埋单，他们都很现实，还是会问你的产品在创造什么。你的理想谈得太宏大了，结果惊动了敌人。马总（你们肯定知道我说的是哪个马总）看到后会说：这小子怎么这么张狂？明天你们研究一下这小子的产品，必要的时候抄一下。所以，我觉得要保持必要的低调，要抗拒虚荣心。

另外，《柔道战略》这本书还讲了一个策略，就是如何找到反关节点，或者叫杠杆。当你拿住一个关节，向对手施加力量的时候，敌人的反抗越大，就会越痛苦。比如 360 做免费杀毒，杀毒厂商跟不跟？你不跟就只能看着我攻城略地，占据市场；如果要跟进，那就要丧失收入，原来的商业模式就要崩溃。3Q 大战的时候，腾讯抄袭 360 安全卫士，利用庞大的 QQ 用户基数，强行在用户电脑里安装腾讯的安全产品，试图把 360 驱赶出安全市场。于是，我们就做了一款扣扣保镖，这也是一个典型的柔道战略。我找到了马总的一个反关节，让马总不敢跟，跟了他会很难受，但不跟的话他就要丧失收入。这个反关节点就是腾讯 QQ 强行弹出的广告，用户对这种广告非常反感，但却给腾讯带来了大量的收入。用户使用扣扣保镖，通过设置可以过滤掉 QQ 的弹窗广告，这就是用户欢迎但对手不敢抄的产品。最后，马总一怒之下宣布"二选一"，逼着全国好几亿 QQ 用户删除电脑上的 360 软件，结果招致用户的强烈反对。这本书讲了很多这样的策略，例如当年 eBay（易贝）怎么去应对亚马逊、雅虎的竞争。书中讲了一个很重要的原则，就是进攻敌人的时候，一定要找到敌人最珍贵的资产，想办法去攻击他的核心价值点，一定要让战火在别人的家园里燃烧，打败了也无所谓，因为打败了我大不了就撤出来。

还有，我推荐大家看《定位》这本书。这本书的作者写了一系列的书，比如《二十二条商规》《定位》《再定位》，出了一套，大概是 22 本。这些书其实讲的是一个道理，这个道理翻来覆去地写。但是这套书写得非常浅显、非常容易读，是我读过的所有管理书籍里读得最轻松的，全是短小的案例。《定位》更多的是拿大众消费品，像啤酒、薯片、洗发水来作为案例。那么在中国成功的案例就是王老吉，王老吉定位在"不上火"上，从而避开了跟可乐、红牛这些不同功能饮料的竞争。这本书讲了这种小企业如何建立品牌认知，我自己是定位理论的忠实信徒，这也是我学以致用的一套创业规范。

进入一个新的领域，特别是对于创业公司来讲，资源有限，这时候你一定要专注，要聚焦，专注于你的品牌定位，专注于你切入市场的点。很多时候，我们没有成功，是因为我们同时做好几个品牌，同时开几条战线。你做 10 款产品，希望每款产品有 50 万用户，但它远远不如你去做一款产品有 500 万用户更有价值。 ? 不完全认同.

我们做企业、做产品的人，都喜欢理性分析，会考虑用户会喜欢什么功能，我该给用户做什么功能，但消费者其实不理性，都是感性的。他看到一个东西，脑子就用 1 秒钟，甚至 1 秒钟都不到，就会快速地给你的产品做一个分类，给它定位。所以，刚切入市场的时候，你如果不能用一句话说清楚你是什么，你是谁，用户为什么要用你，那你这款产品一定是失败的。

实际上，在市场中成功了的产品，比如Instagram，把图片分享做到了最极致，连脸谱网都感到恐惧了，最后要收购Instagram。那你说脸谱网有没有照片分享功能？有，你甚至可以找到很多应用里面都有类似的功能。可是，你真的用了它的那些功能吗？我到美国的超市，都能感觉出为什么在美国能出这本书，这是因为你随便在美国超市，比如要买薯片，你往那儿一站，面前有各种各样的薯片，你站那儿立马就晕菜，你真的不知道要买哪一种。你要让顾客在这么多类似的东西里面找到你，那你就要用定位理论。

要找到自己的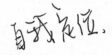定位，找准自己的定位，然后像一把锥子一样，先在人们脑子中占据一个位置，而不是先去扩大市场份额。所以，这个定位系列很值得大家看，而且这几本书都值得反复看，因为它们是谈方法的书。你的经验越丰富，在现实生活中遇到的问题就越多，这时候你去读这些书，每一次的感受都是不一样的。

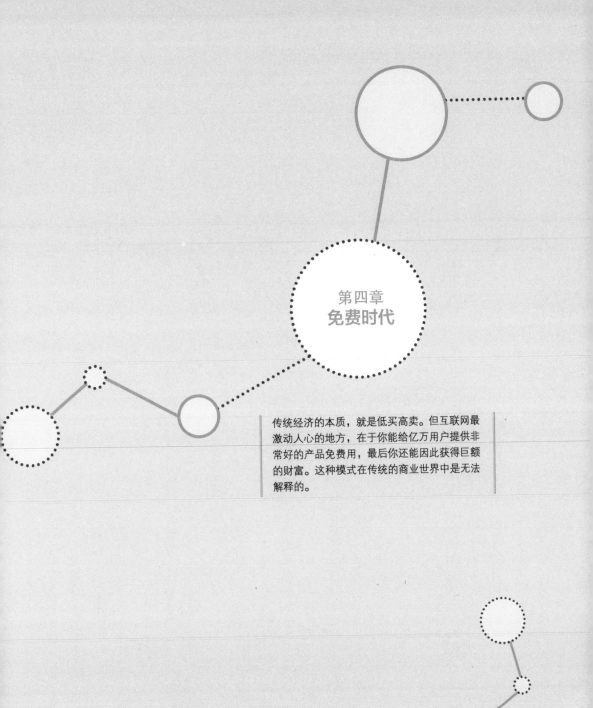

第四章
免费时代

传统经济的本质，就是低买高卖。但互联网最
激动人心的地方，在于你能给亿万用户提供非
常好的产品免费用，最后你还能因此获得巨额
的财富。这种模式在传统的商业世界中是无法
解释的。

免费开启我的互联网之旅

我对互联网免费的认识，是从做飞扬邮件系统开始的。

1997 年，我还在方正集团上班，之前有很长一段时间被派到新疆工作。回到北京后，有段时间比较闲，我不想让自己闲着，老想着找点事做。那个时候，公司一项重要的业务是给政府机关和企事业单位做系统集成，做完了以后就要培训。技术人员都非常热衷于研究 IP（网络互连协议）底层的东西，确实这也是做系统集成的法宝，没人喜欢去给别人做培训。有一个国家部委的邮件系统培训项目，算是边角料，谁都不愿意干，领导就把这个任务分配到我头上。

电子邮件是互联网的最基本应用，但那时大家都在挑选公司里最技术、最有前途、最有用、最能建功立业的事情做，觉得这东西技术含量低，没有前途。但我觉得挺有意思，看了培训说明书，挺简单的。我又跑了几趟海淀图书城，把能找到的书都看了一遍，刚开始是关于电子邮件的书，随后延伸开去读了关于互联网的书。于是，我在不知不觉中进入了互联网世界。

我给那个部委的邮件系统不仅做培训，还做了很多开发，比如我开发了一个新的图形界面，像游戏一样，让这个邮件系统特别容易上手、易用，还加了标签，又加了导航。

方正的领导觉得很好，让我做一个方正自己的邮件系统。我特别喜欢杜甫两句诗，"痛饮狂歌空度日，飞扬跋扈为谁雄"，所以就给邮件系统取了"方正飞扬"这个名字。

飞扬是我互联网生涯中的重要角色。有人可能会说，那就是一个电子邮件，方向很窄，只要了解互联网和电子邮件的技术标准就可以做了。其实这段经历对我做互联网非常重要。在做飞扬的过程中，我必须大量地上网，而且目标非常专注。到现在我都可以说，对互联网的整个感觉有一半是在做飞扬的时候形成的，所以我至今都非常感激方正集团给我这么一个通过做产品接触互联网的机会。

通过做飞扬，我得到的一个朴素认识是：免费。我觉得这也是任何一个人第一次接触互联网时的感觉。特别是像我这样的技术人员，刚接触互联网的时候，是一种惊艳的感觉，因为在互联网上可以免费拿到很多东西，甚至源代码、数据资料、技术文档，这是过去无法想象的。为什么免费？那个时候，我虽然看到了互联网的免费精神，但对免费的认识还是初级的，认为那是因为老百姓的购买力还很低，不愿意花钱买东西。但我已经感觉到，互联网上的软件必须免费，彻底免费，然后再从企业级市场上去赚钱。

而且，免费也的确是一种推广产品的强有力手段，能够使产品迅速推广，短时间内成为事实标准，建立竞争壁垒。

我在方正应该算是比较早向公司建议搞互联网战略的。当时中国还没有人做免费邮件，很多企业也还没用电子邮件，方正会有很多商业机会。但确实绝大多数人不理解免费，觉得免费不可思议：做一款软件，为什么不标价去卖呢？企业持看重销售和利润的工业化思维方式，不能卖的东西不会得到企业的重视，因此是不可能把互联网放在战略的高度去推动的，后来这个项目就停止了。

今天我做很多事情时，那时形成的思路依然起了很重要的作用。飞扬邮件停掉了，但它的两个精神——推动大众上网以及免费却保存下来了。

免费，英文词就是free。我觉得free是互联网的重要精神，它有三层含义。第一层含义是免费。我不挣老百姓的钱，但免费可以为我带来最大的市场份额，可以为我带来忠诚的用户群，带来品牌的知名度与价值。第二层含义是自在、便利。无论做软件还是做服务，都应该让人感到网络生活的自在、便利。第三层含义是自由。在互联网上，你要放开了去想去创新，想到了就去做，而不模仿他人。

真免费和假免费

　　在现实生活中，只要一提到免费，每个人脑子里的自我保护机制就会响起来。天底下哪有这么好的事？现实生活中的"免费"听多了看多了：什么小区里老医生义诊，免费看病；电信、移动、联通营业厅存话费送手机；商场里搞促销，什么买一送一，买多少给多少打折券。各种各样的所谓"免费"模式，往好里说是一种营销手段，但是羊毛出在羊身上，买的没有卖的精，最终这还是商家的一种营销技巧；往坏里说，很多所谓的"免费"其实就是一个鱼钩，就是一个陷阱。老医生义诊，看病是免费的，但没病总会给你看出病来，要不人家的药怎么能卖出去？所以，时间长了，大家看到的这种假免费多了，对免费都会有一种偏见，认为免费的肯定是骗人的。

　　但当互联网出现以后，就有真免费了。互联网本身以免费为精髓，免费是互联网的一种哲学。举几个最简单的例子。比如在互联网上，如果没有各种免费而且开源的软件，那根本不会出现这么多丰富多彩的网站。我相信很多人自己就用免费的开源软件搭建个人网站，很多企事业单位的网站也是用免费开源软件搭建的。如果互联网没有这种免费的开源软件，那么就不会有今天互联网的发展，因为使用收费的软件，搭建网站的成本会非常高，而且效果不见得很好。

记得我在上大学的时候，有一门课讲的是怎么使用联机终端查资料，那都是按小时收钱的。但今天，无论你是用谷歌还是用其他的搜索引擎，搜索资料都是免费的。现在，不仅搜索是免费的，电子邮箱也是免费的，聊天也是免费的，360杀毒软件也是免费的。互联网免费的模式非常多。我把免费定义成两种，一种叫假免费，一种叫真免费。假免费只是一种营销手段，就像咱们之前提到的老医生义诊、存话费送手机等，最后的目的是推销，免费的这些成本最终是要从你身上收回来的。刚才我举的现实生活中的这几个例子：免费看病的背后是要卖药给你；你如果不存话费，运营商肯定不会送你手机。

但是，互联网的免费是真免费，真免费实际上是一种无条件的免费。就是说，即使不买商家提供的收费服务，你也一样能享用它高品质的免费服务。

为什么互联网可以真免费？

为什么互联网可以真免费，而现实生活中不可能真免费呢？

2009 年，美国著名的互联网杂志《连线》总编克里斯 · 安德森在《免费》①一书中详细讲述了互联网的免费。安德森指出，互联网把微处理器、网络带宽和存储融合在一起。在技术革命推动下，这三者的成本都在以惊人的速度降低。互联网不仅整合三者，而且以极低的成本接触到了数以亿计的海量用户。当一种互联网软件以趋近于零的生产成本和同样趋近于零的流通成本抵达海量用户的时候，它的价格自然也可以趋近于零。

因此，他认为，免费是数字化时代的一个独有特征。软件的价格会不可避免地趋零化，这种趋势正在催生一个巨量的新经济，在这种新经济中基本的定价就是零。

在这里，我试图用通俗的语言来解释互联网的免费现象。在现实生活

① 《免费》中文版已由中信出版社于 2012 年 10 月出版。——编者注

中，任何东西都有一个固定成本，我今天给大家每人送了一本书，但我不能永远给大家免费送书，因为送得越多，亏得越多。即使书一分钱都不值，那我多送一本书，也会产生一单物流的成本。所以，在现实生活中，送得越多亏得越多，这导致商家在某一个时间段把免费当作营销手段，但是不可能永远免费下去，否则任何商家都会破产。

在互联网上，互联网服务和产品都是数字化的，比如聊天、电子邮箱、搜索，都是一种虚拟服务。用的人不管有多少，它总的研发成本基本是固定的，而用的人越多，每个人分摊的成本就会越低。比如，研发一款软件的成本是 1 000 万元，当有 100 万用户使用的时候，每个用户分摊的成本是 10 元；当有 1 000 万用户使用的时候，分摊的成本是 1 元；当有 1 亿用户的时候，分摊的成本是 0.1 元。这跟现实生活中的物理产品截然不同。

举个最简单的例子。在新浪上看新闻都是免费的，其实新浪为了提供新闻服务，投入了很多台服务器，还花很多钱雇了新闻编辑，这些成本基本上都是固定的。这时候，如果新浪只有 10 万读者，这成本分摊到每个读者身上，肯定是不小的数目。但是现在新浪有好几亿读者，这个成本分摊到每个读者身上就微乎其微了。

既然互联网是真免费，但它总得要挣钱啊，互联网到底怎么挣钱？

免费是一种商业模式

　　互联网发展这么多年，许多伟大的互联网公司的实践已经证明了这样一点：如果一个公司能把免费服务做得很好，比如谷歌把搜索做得很好，腾讯把聊天做得很好，那么在以这种免费服务汇聚了巨大的用户量之后，总有办法在海量用户基础上构建一种新的商业模式。这种模式不是我们发明的，实际上已经被中国互联网证明了。

　　一个最简单的例子是网游和杀毒软件。最初网游是按照小时来计费的，杀毒软件是按照每套几百元收费的。因为向用户收费，无形中就设置了价格门槛，网游的用户数量和杀毒软件的用户数量一直发展不起来。后来，出现了免费网游，即玩儿网游免费。但你要想玩得爽、升级快，玩得比别人好，可以去买游戏道具。360推广免费的杀毒软件，把门槛降到了零，每个人都可以免费获得一款高质量的杀毒软件。360由此获得了巨大的用户群，在此基础上推广了360安全浏览器，以此为平台实现了规模收入。

　　谷歌通过免费搜索获取了全球几十亿的用户，在此基础上建立了广告的商业模式。腾讯通过免费的聊天获取了中国好几亿用户，在此基础上建立了以增值服务为主体的商业模式。安全也是互联网的基础服务，每个人上网都需要安全的上网环境，凡是每个人都需要的，就应该是免费的。这是我们做 360 的一个核心理念，也是 360 做安全永久免费的原则。

　　互联网的商业模式主要是两种：一种是广告，一种是增值服务。

　　广告模式，有的人说是"羊毛出在猪身上"：你在新浪上免费看新闻，新浪给你推送第三方广告；你在谷歌上免费搜索信息，谷歌给你推送第三方广告。这就是说，享受免费服务的用户不用掏钱，另外有人为免费服务埋单。现在视频网站基本上也是这种模式，你可以免费在网上看电影、看电视、看纪录片，但你必须得看广告。这种"羊毛出在猪身上"的模式，换成很学术的说法，就是第三方补贴。

　　但并不是所有的互联网服务都适合广告模式。IDG 公司是最早投资腾讯的风险投资，但 IDG 又在很早的时候把腾讯的股票抛了。为什么？因为当时风险投资家的思维模式全是门户模式、媒体模式，希望腾讯像新浪、搜狐一样。但如果把 QQ 聊天产生的内容聚合成门户，你会发现内容没法看，全是东家长、李家短的，跟新浪的内容没法比，所以广告主都不愿意在腾讯 QQ 上投放广告。所以风险投资家用广告模式，否定了 QQ 的价值。

　　安全软件也不适合广告模式。360 普及了免费安全，获得了好几亿的用户，很多人认为 360 会做弹窗广告获取收入。但我们有一个铁的规定，

360 不能弹广告。不过，起初我们在 360 软件的主界面里放了几条文字链，为 360 每年带来了 8 000 万元的收入。2010 年，我们决定彻底取消 360 软件上的文字链广告，因为我觉得，360 作为一款安全软件，是要给用户解决问题的。360 是一个保镖，是一个卫士，如果没事就给你递送小传单，这个保镖你也用不了太久。虽然这样一年可能损失几千万，但是从长期来看，我们认为广告模式不适合安全软件，舍弃广告是对的。

互联网的另一种商业模式是增值服务，也就是为少部分用户提供多样的、个性化的收费服务。但无论是广告模式，还是增值服务模式，都有一个重要的前提，那就是海量的用户群。所谓海量，是至少要达到上亿的用户规模。

什么是增值服务？其实很简单。只要是在互联网上每个人都需要的服务，我们就认为它是基础服务，基础服务一定是免费的，这样的话不会形成价值歧视。就是说，只要这种服务是每个人都一定要用的，我一定免费提供，而且是无条件免费。增值服务不是所有人都需要的，这个比例可能会相当低，它只是百分之几甚至更少比例的人需要，所以这种服务一定要收费。绝大多数人不需要这种增值服务，也不愿意付钱，但他们仍能继续享用免费服务。

免费不仅是商业模式

互联网里经常出现这样的现象，有很多初创公司做出来的东西是免费的，根本看不出来怎么挣钱，但非常受人欢迎。这个时候，就有一些评论家质疑这家初创公司能活多久，质疑它有没有发展的可持续性。360免费杀毒刚出来的时候，是这样；两年后新浪微博出来，也是这样。当时我就发表了这样的观点：微博虽然没有明确的商业模式，但只要你能让用户泡在上面离不开你，那你一定会有价值，只是你在等待一个商业化的时机。

回过头来看，当年雅虎这样的门户网站都不看好搜索，看不懂搜索，觉得搜索引擎没有挣钱的模式，因为谷歌的首页上没有那么多花花绿绿的广告。脸谱网刚出来的时候，也被大公司嘲笑，他们觉得那就是给学生玩的东西，是荷尔蒙分泌过多的年轻人追异性用的。实际上，这多次证明这样一个道理，即互联网上伟大的公司刚开始都是以免费、好的产品集聚用户的力量，在此基础上再构建商业模式。

传统经济的本质，就是低买高卖。但互联网最激动人心的地方，在于能给亿万用户提供非常好的产品免费用，最后你还能因此获得巨额的财富。这种模式在传统的商业世界中是无法解释的。

免费是一种新型的商业模式，但很多人总把它与赢利模式画上等号。商业模式是一个复合的模式，包括公司做什么产品、定位什么样的客户、用什么市场营销手法，赢利模式只是其中的一个环节。你应该回答清楚以下几个问题：你究竟拿什么免费？这个东西会不会成为一项基础服务？通过免费能不能得到用户？在得到用户和免费的基础上，有没有机会做出新的增值服务？增值服务的用户愿意付费吗？如果你能回答清楚这些问题，就是一个好的商业模式。不要因为只是赢利模式暂时不清晰，就否定它的整个商业模式。

传统行业可以在一个小地域划分出一块市场，再把它守住。但互联网从一个网站到另一个网站，只需鼠标一点。所以如果在互联网上不成规模，想守住一小块市场份额根本不可能，要么大成，要么死掉。所以互联网上有一个现象：很多企业赢利模式特别明确，却由于过早挣钱，反而不能做大。相反，比如像马化腾，当初也没想清楚商业模式，当他拥有了几亿用户以后，很多东西就豁然开朗了。

免费又不仅是商业模式，它有很多充满魅力的地方。很多时候，如果我手里有1 000万，在中国打一则广告连个响儿也没有，我还不如花1 000万做一款免费的互联网产品，给几千万用户用，这几千万用户用了我的产品，就建立了对我品牌的认知、忠诚、信任，这比广告有效得多。免费既是商业模式，又是一种革命的手法，也是一种营销手段，也是互联网的一种精神。

企鹅的秘密

互联网的增值服务模式，外国给它起了个名字，叫freemium，其实把free（免除）和premium（费用）两个词结合起来。初看起来，大家可能觉得freemium高深莫测，完全是一副高大上的样子。其实这种模式很简单，我们在日常上网的时候经常见。而且，在中国，这个模式的发明者绝对不是我，这个模式真正的探索者，真正做得最成功的，实际上是腾讯。QQ的广告模式被否认后，变相地逼着腾讯管理层去探索，最后探索出了增值服务这种模式。

现在的中国人，几乎人人都有一个QQ号，有的人甚至有好多个。大多数人用QQ聊天，是免费的，是不花钱的。即使你在现实生活中是高富帅，你在QQ里面也可以一毛不拔，不被诱惑，不轻易花钱，就穿个小裤衩在上面聊天，也无所谓，那你就是屌丝级别的QQ用户，是腾讯体系里的最低等用户。但现实生活中的很多屌丝，比如十几岁的初中生，他每个月给腾讯交 10 块钱，成为这个钻、那个钻的用户，那么在腾讯体系里，他就是高级用户，是增值服务的用户。虽然大量免费用户在聊天，但有了这些增值服务用户，腾讯的商业模式就建立起来了。

有一个笑话，说中国有 10 亿人，如果每个人给我 1 块钱，那我就发大财了。问题是，大家凭什么给你 1 块钱？就算大家下决心每人给你 1 块钱，你为了拿到这 1 块钱，估计得付出两块钱的成本，这样算下来还亏了。但是，在互联网上这确实能做到。如果你有一款非常好的产品，通过互联网可以接触到几亿用户，那么，在这几亿用户当中，你推出一项增值服务，即使只有一小部分人愿意下单付钱，那么全加起来也能形成规模经济。QQ 有 6 亿用户，如果腾讯又推出一个黑钻，即使只有 0.1% 的用户愿意每个月花 10 元钱购买，那么腾讯每个月也能有 6 000 万的收入。

腾讯 QQ 的增值服务有很多种，比如蓝钻、绿钻、QQ 秀，还有游戏。对 QQ 用户来说，游戏也是一种基础服务，可以免费玩，但是你要想玩得很爽，很痛快，玩得超越别人，那你就要在里面买 QQ 的道具。

360 为什么要免费？

2006 年，我开始做 360 安全卫士的时候，没有商业动机，没有想到怎样挣钱，更没有想到未来要做免费杀毒，也没有想到要做浏览器，做搜索。我做 360 的目的很单纯，就是要直接把那些流氓软件都干掉，不管它的干爹是谁，七大姑八大姨来说情也不行。

那个年代，除了网易，几乎所有的互联网公司都做插件，不经用户同意，强制性地向电脑里面安装，然后劫持流量，乱弹广告。老百姓把这种插件叫流氓软件。这些互联网公司用流氓软件祸害用户，但却号称是我的学生，败坏我的名声。虽然我发明了插件这种软件安装方式，但我的插件并没有那么过分，没那么流氓。我想，既然你们通过败坏我的名声来挣钱，那咱们都别挣钱，我做出一款软件把你们的那些插件全给废了。

那个时候，流氓软件肆虐，用户叫苦不迭。如何解决流氓软件问题，对此基本上分为几派。一派是法律派，认为流氓软件的问题必须通过法律来解决。但是，互联网发展的速度飞快，而且在互联网上取证非常困难，先不说能不能立案，即使能立案，官司完整地打下来，也需要好几年。一派是政府派，认为要通过政府部门来解决问题。潜台词是老百姓永远是草民，碰见问题需要政府给自己当家做主。但是，有那么多矿难问题、食品安全问题政府都没时间解决，流氓软件又不死人，政府哪有功夫解决？后来，有关部门组织了大的互联网公司一起参与制定流氓软件的标准。我一看，这些公司全是做流氓软件的。最后，这个会议给我印象最深的一句话，就是大家要求在查杀流氓软件的时候，一定要慎重。

我主张第三条道路，以暴制暴派，就是把武器发给用户，让用户来解决问题。用户被流氓软件欺负，就是因为不懂技术。那我给用户一个免费的工具，能把流氓软件都干掉。这样的话，电脑就太平了。我们打了一场人民战争，不是说我一家在干，而是我把用户都发动起来了。

但说实话，早期的360安全卫士技术含量并不高。查杀流氓软件，像金山、瑞星这些公司绝对是有技术能力做的。但他们都不愿意干这事，也不敢做这件事。他们不愿意做，是因为不挣钱，他们卖杀毒软件，卖一套就好几百。做一个免费的东西，虽然用户欢迎，但不挣钱的话，有什么用？他们不敢做，是因为不愿意得罪人。大家抬头不见低头见的，都在行业里混，你把这些中国知名互联网公司的流氓软件杀了，得不偿失，压力是很大的。

难道周鸿祎压力不大吗？当然大，但没办法。查杀流氓软件，我是为了摘掉给我扣上的大帽子，是出于利己的动机，因此内心特别强大。如果是为了一个高尚的目标，我可能坚持不下去了。所以，我们做出360安全卫士，相当于为用户提供了一个免费的武器，专门查杀各种流氓软件。

从现在的角度来看，360的无意中成功，是因为当时中国互联网的网民在饱受流氓软件的危害，又没有人愿意出来解决这个问题。所以，我们出来解决这个问题，实际上就迎合了广大用户的需求。这给我们以后的启示是，360不仅要免费，而且必须以用户需求为核心。

都是免费惹的祸

我们一不小心进入了安全行业，从现在来看，正好赶上了中国互联网的大爆发。上网的人增长很快，各种软件、商业模式发展很快，当然网上的小偷也突然暴增。

在 360 出来之前，2005 年中国网民是 1 亿，互联网普及率才 8%，到了 2013 年，中国网民超过了 6 亿，手机网民比电脑网民还要多。所以，在我们做安全之前，杀毒还是按照传统的商业模式，是卖软件的，没有人认为是普遍服务，没有人认为杀毒应该是免费的。但是，我当时有一个直觉，随着互联网的发展，互联网的安全会变成每个人都要面临的问题。那个时候，不仅流氓软件泛滥，而且出现了各种木马，QQ 号、游戏装备会被盗，大家到网上下载软件都会下载下一堆广告插件。我相信，法律是解决不了这些问题的，就像法律解决不了流氓软件泛滥的问题。杀毒只是互联网安全的一小部分。而且，我认为，包括杀毒在内，互联网安全一定会成为一种基础服务，如果安全变成每个人都用的基础服务，它就一定是免费的。

我们对免费的认识很朴素，只要是人人都需要的，就应该是免费的。所以，我们在用免费结束了流氓软件泛滥，把木马黑客赶到地下后，就想到这样一个问题：杀毒软件是人人都需要的，那么杀毒软件也应该免费。我们中国人不喜欢买软件，连微软的视窗操作系统都不爱买，更别说杀毒软件了。那个时候，每年花两百块钱买正版杀毒软件的人非常少，2008年大约有两亿上网用户，买正版杀毒软件和装盗版杀毒软件的用户总计不到1 000万，绝大多数人的电脑都在裸奔。我们要做360免费杀毒，就彻底免费，就终身免费。事实证明，用户需求太强烈了，三个月的时间，360免费杀毒的用户就过亿了。我们连自己都没有意识到，我们无意中做对了一件事，这就是用免费的商业模式颠覆了瑞星、金山付费的商业模式。

但360做免费杀毒，鼓吹免费安全，也付出了很大的代价。首先是我们内部的。在做免费杀毒之前，360在网上给其他品牌的杀毒软件做代理销售，每年也有将近两亿的收入。一旦做免费杀毒，就意味着360跟所有的杀毒公司成了敌人，这每年两亿的收入也就泡汤了。当时我们的投资人很生气，在董事会上跟我吵架，激烈地反对我做免费杀毒，认为这是自绝后路。有的投资人对我说：老周，你能不能先把公司搞上市再推免费杀毒？公司上市了，我们这些投资人安全地把资金撤出来了，你爱怎么折腾就怎么折腾。

那一年有部电影特别火，叫作《建国大业》，我就带投资人去看这部电影。我军撤出延安的时候，很多人都不理解，说革命根据地不能说丢就丢啊。毛泽东跟大家说了十六个字：地在人失，人地皆失；地失人在，人地皆得。按照互联网的思维来说，地就是业务，是收入，人就是用户。用户是互联网所有业务收入的基础。你可以暂时放弃收入，只要用户还在，就可以把收入再挣回来。但如果为了收入和业务，你损害了用户的价值，用户跑掉了，你有再多的收入都会崩溃。

除了内部反对意见，外部也有很大的压力。我们宣布推出免费杀毒，网上出现了大量的攻击文章。有的说免费没好货，360免费杀毒不专业，杀不了病毒，是花架子。有的说360推免费杀毒，背后有不可告人的目的。360肯定是暗地里偷用户的资料来卖，否则没有收入，怎么能养活这么多人？甚至有一家杀毒公司设立专题，在它好几千万的杀毒软件上写着"360安全卫士有后门，偷窃用户隐私信息"的大字报。后来，我们把这家公司告上了法庭，这家公司最后输官司赔款道歉。

但我相信，当时他们是真的认为360在偷用户资料，因为他们对免费是真的不理解：天底下哪有这样的傻瓜，上亿的收入不要，说免费就免费了？所以，这些杀毒软件公司在网上雇大量的写手骂我，他们一致相信免费杀毒这事干不成。他们卖了20多年杀毒软件，周鸿祎怎么可能免费干得下去？那还不把周鸿祎赔死了！

今天，国内所有杀毒厂商都把360当成了学习榜样，360怎么做他们就怎么做。但是，他们忘了《笑傲江湖》中"葵花宝典"里的两句话。第一句话是：欲想成功，必先自宫。要把免费的模式做成，你必须得忍痛放弃收入。他们舍不得，我们舍得，结果我们做成了。360成了中国第一大互联网安全品牌，拥有了好几亿用户。他们亦步亦趋地学，翻到"葵花宝典"第二页：即使自宫，也未必成功。意思是，你即使放弃收入免费了，也未必能成功地找到新商业模式。

这也给所有要转型互联网的人上了一课，这就是：面对互联网的免费大潮，你如果主动拥抱变化，主动自宫，虽然未必成功，但最起码刀还在你手里；如果你不拥抱变化，抱缺守残，那结果只有一个——被别人拿刀革自己的命，最后肯定不成功。

硬件也免费

我一直非常喜欢免费，认为免费真正代表了互联网的精神。现在互联网的软件产品大都是免费的，我认为未来的趋势是"硬件免费"，并提出硬件免费的第一步是硬件零利润。可惜，很多朋友只看到了"硬件免费"，却没看到我说的"硬件零利润"，在一知半解的情况下就批评我"硬件免费"的观点。我觉得有必要在这里澄清一下。

软件免费是一个很好理解的概念。比如我开发一款软件，开发成本是100万，如果有1亿人用这款软件，摊到每个人头上的成本只有1分钱，就可以忽略不计，就可以免费。

比如，很多人都在用微信，它把运营商收费的短信和彩信给免费了，而且体验做得更好。只要你有流量，你有Wi-Fi，就不需要掏短信的钱，发一张照片也不需要为彩信付账。于是，微信迅速地把运营商从通信这个层面干掉了。

虽然微信不收你的通信费，但你每天用微信，对腾讯来说就是巨大的用户群。腾讯只要在微信里给大家推广游戏，让大家都打打飞机，在里面给你推荐商品，它能轻松地挣到比中国移动每年收的短信费还要多的钱。

但是，硬件不同，原材料、物流等各个环节都要花钱，而且每销售一件，成本还会叠加。所以，我提出的"硬件免费"，并不是零价格，分文不收，亏本赚眼球，而是零利润。换句话说，是按成本价进行销售。无论我们的随身Wi-Fi，还是像乐视电视，都是走的"零利润"的免费模式。

这个硬件的零利润，真的将来有一天会变成零价格吗？真的就免费白送了吗？我认为是有可能的。20世纪90年代，像笔记本电脑这样的计算设备非常贵，跟奢侈品似的。而现在各种计算设备进入了寻常百姓家，计算设备占整体支出的比例越来越低，但我们通过计算设备在网上的消费却越来越多。如果一部智能手机的成本是2 000元，而让用户在两年内通过智能手机购买某一品牌的服务，比如电子书、游戏、商品等，所花费用大大超过2 000元，那么智能手机也可以考虑免费。

如果你只会生产硬件、卖硬件，一旦你的价值链被人免费，对不起，你最后只能沦为代工，挣点微薄的利润。要想生存下去，你需要建立一种新的商业模式，要创造新的价值链。所以，"硬件免费"必须要创造新的价值链来支撑，这也是传统企业转型互联网时必须要考虑的问题。

硬件免费之后，如同免费的软件一样，不再是一个价值链里唯一的一环，而是变成了第一环，变成了厂商和用户之间交互的窗口，变成了厂商与用户沟通的桥梁。用户用了我的冰箱、开了我的车、看了我的电视之后，我们还能不断地给他提供其他的服务来赚钱。

　　硬件免费，我认为不会立马发生，但在下一个 5 年会看到这个趋势。今天，在互联网上凡是懂得免费之道的企业，都会比较容易在这次新的浪潮中弯道超车。

什么是互联网化？

有一年，我面试一个应聘的副总，是从一家传统产业里来的。到最后，我问他有什么问题需要问我的。他问：你们360为什么做免费？为什么要让别人不赚钱呢？这句话把我给问住了，这说明传统行业内的很多人对免费还没有一个好的认识，认为免费就是打价格战，就是搅乱市场。

实际上，在互联网上免费是常用的策略。如果按照这种说法，在手机操作系统市场上，微软原来一套要收20美元，谷歌把手机操作系统免费了，还开源了，那是不是违反了反倾销法？今天有很多公司在做智能手机，在做硬件，但如果你不能从互联网的思路来看免费，那么第一关你就过不了。如果你对互联网的模式都不了解，那怎么还谈得上创新？很多传统企业看互联网，觉得互联网是一种销售渠道，互联网营销就是炒作，潜意识里只是把互联网当作"器"来用，这就是"中学为体，西学为用"的思路。

所以，虽然很多企业在讲转型互联网，但什么是互联网化，他们根本不理解。在我看来，包括智能手机、平板电脑在内，硬件的互联网化分为以下"四化"。

第一是商业模式互联网化。《连线》杂志主编凯文·凯利早就预言说，未来的硬件一定是免费的。当然，达到硬件免费需要一个过程，在中国更是如此。但硬件价格降低，向零利润方向发展，至少在美国这样的互联网发达国家已经成为趋势。虽然移动终端的利润趋近于零，但通过内置的各种增值服务，同样可以建立起互联网化的商业模式。

第二是产品体验互联网化。过去的手机主要是用来打电话、发短信的，内置的游戏也非常简单。但现在，智能手机就是一部小电脑，用户频繁地下载软件，而且软件也像在个人电脑上一样很快地进行更新。因此，智能手机像个人电脑一样，越来越注重用户体验。与硬件厂商相比，互联网公司能更好地把握用户对产品体验的需求。

第三是市场推广的互联网化。传统的手机推广方式通过卖点策划和大量的广告投放，达到吸引用户、接触用户的目的。现在，进入互联网时代，产品的推广要基于好的产品体验，依靠口碑进行推广传播。作为新媒体，互联网的SNS特点打乱了传统广告对人群的划分方式，提供了一种低成本的推广方式。

第四是产品销售的互联网化。互联网既是媒体传播平台，也是电子商务平台。电子商务是扁平化的销售模式，压缩了中间渠道的沉淀成本。

我举一个智能设备互联网化的例子。现在平板电脑非常热，做个人电脑的传统巨头都纷纷进入这个市场，但是它们无论怎么做平板电脑，都赚不到钱。为什么？因为在传统的个人电脑商业模式里，这些个人电脑巨头是通过卖电脑赚钱，微软是靠卖操作系统赚钱。但是，到了互联网世界里，一切都变样了，横空出现了一个亚马逊，出现了一种新的商业模式。因为亚马逊是一个互联网公司，它不是靠卖平板电脑赚钱，对亚马逊来说，平板电脑只是一个入口，是一个互联网企业和用户之间交流的窗口，是向用户提供服务的承载平台。只要用户使用了亚马逊的平板电脑，亚马逊就通过平板电脑把用户给锁定了。用户可以用平板电脑在亚马逊上买东西，亚马逊即使不靠卖平板电脑赚钱，一年算下来光靠卖东西也能挣很多钱。当然，目前亚马逊也没做到硬件完全免费，不过这是未来的趋势。如果每台平板电脑让亚马逊亏 50 美元，但锁定一个用户能让亚马逊一年挣回 100 美元，我认为这实际上也是一种"免费"，只要是以成本价或低于成本价卖。这样一来，其他的厂商根本没有办法跟它竞争，因为其他的厂商必须要靠卖硬件赚的利润，亚马逊全都免去。而且，亚马逊服务还很全面，有软件商店、音乐下载、视频仓库，对于硬件厂商来说，建立这一套价值链很难。今天，不管硬件还是软件，免费都是互联网里很重要的一种力量。

免费是一种颠覆性的力量

免费的本质是什么？是对商业模式的颠覆。

马云最早搞电子商务，宣布淘宝免费开店，而他的竞争对手eBay是要收开店费的。既然淘宝免费开店，在eBay上的卖家都觉得不开白不开，不管淘宝有没有流量，也愿意把店在淘宝上复制一家。最后，淘宝通过免费汇聚了大量的卖家，有了卖家就有了买家。最初宣布免费的时候，我想马云未必想清楚了怎么靠免费来赚钱。本来他想收费，但腾讯的拍拍网虎视眈眈地准备抢淘宝的卖家，所以他三年免费之后，不得不说继续免费，永远免费。最后，当中国几乎所有的商家都到淘宝上开店的时候，会出现什么现象？你搜一种卫生纸，都会出来1万个结果。你免费开店没问题，但你如果在搜索结果里要排在前面，那就要交增值服务费。淘宝今天也成为中国最挣钱的互联网公司之一，实际上通过免费的模式创造了一种新的收入模式。如果淘宝不免费，我相信它既无法战胜eBay，也发展不出这样的收入模式。

因为eBay是收交易费的，因此特别担心买家和卖家共谋，严格规定卖家不许留自己的手机，不许留信箱地址。而中国人的购物习惯是不直接交流就没有安全感，但直接交流的话淘宝收不到交易费，于是淘宝就把交易费也免了，买家卖家联系越多越好，还做了一个淘宝旺旺的聊天工具来撮合交易。这样，淘宝又有了一个即时通信工具。

既然全都免费了，那就好事做到底。淘宝提供了一个方便交易的支付手段，为了解决信用的问题，支付宝又创造性提出，比如可以买家拿到货再通知付款，所以回过头支付宝又促进了淘宝的交易。以马后炮的角度来看，淘宝又高瞻远瞩，成功布局了互联网金融。

免费具有一种颠覆性的力量，它会破坏传统的商业模式，同时又建立新的价值体系。当年，我带领360进入互联网安全领域的时候，我们都是一帮不懂安全的人。我们就像蛮牛冲进了瓷器店，或者说乱拳打死老师傅，不懂安全软件市场的游戏规则，觉得杀毒软件是每个人都需要的，那么多的木马病毒、欺诈网站，大家还要花钱交保护费，这肯定不对，应该免费干。

确实，当时免费后，我们也是在探索一种新的商业模式。我当时高瞻远瞩，想清楚了以后的商业模式吗？实话说，当时我们也不清楚，就觉得免费可能是比较容易吸引用户的方式。有的时候你跟用户讲自己的技术好，用户听不懂。你跟用户讲自己的产品好，但用户不试用的话，怎么知道你的产品好？于是，我们就决定永久免费，终身免费。

今天，这些杀毒厂商终于明白过来免费安全是大势所趋。当年那些没有跟进的厂商，基本上都歇菜了。跟过来的厂商虽然还不断骂我们，但他们的所有模式都跟着 360 学。免费之后，整个市场的规模比原来扩大了 100 倍，也终于有实力与国外的安全公司相抗衡了。

互联网的转型与跨界

很多人问我一个问题：免费之后怎么办？

我的回答是，一定要延长自己的价值链。打比方说，你卖手机都不赚钱了，那你一定要在手机里留下赚钱的东西。比如，如果你想通过手机里的游戏赚钱，那你要把自己定位成游戏运营商，而不再是一个手机销售商。再以360为例，如果360只做杀毒软件，那把免费杀毒做得再好，商业模式都是不完整的，所以360就在浏览器基础上做搜索、做游戏，进入到搜索领域和游戏领域，360就必须要懂搜索，懂游戏运营。

最近互联网特别流行跨界，看起来很时髦，其实都是被逼的。过去大家都是自己卖自己的东西，所以不需要跨界。比如，以前电视机厂商竞争，无非是比屏幕大小，比清晰度，比价格，虽然时时有价格战，但终究不会跌破成本卖电视。但一帮做互联网的人闯进来，他们不把卖电视机当作一门生意，而是把电视机往零利润，甚至往亏本里卖。那怎么赚钱？他们把电视机很便宜地卖给用户，然后每年收几百元给用户提供丰富的影视节目。换句话说，他们很便宜地卖电视机，是为了汇聚用户群，在此基础上依靠收费服务赚钱，而电视机成了他们为用户提供服务的接口。像传统的电视机厂商要与他们竞争，在电视机价格上肯定干不过，只能与他们比拼整合影视资源的能力，这就逼迫传统厂商去转型、去跨界。

传统厂商向互联网转型，最容易忽视用户体验。传统厂商做生意，都是一锤子买卖，通过策划卖点、投放广告、渠道推广等，不管怎么吹嘘，都是把货卖出去，把钱收回来，之后再也不愿意跟用户打交道了，因为用户一来不是换货退货，就是要修理，都是要增加成本的。但是，在互联网时代，你把产品卖给用户，你跟用户之间的关系才刚刚开始。因为产品本身不赚钱，甚至亏损，所以你得靠互联网服务赚钱。这个时候，你会希望用户最好天天泡在你的产品上，用你的服务越多，你的收入就越多。如果你的用户体验不好，他们就会很快流失到别人那里去。这时，你会发现用户体验变得越来越重要了。

但是，怎么才能实现跨界、成功转型呢？难度还是挺大的，成功案例真的也不多，但我觉得可以从两个方面入手。

第一，在内部培养容忍失败、鼓励创新的文化。公司应该建立一种机制，把公司的年轻人、中下层变成创新的主体。比如，公司的客服人员每天都在跟用户打交道，他们比公司其他人更早、更多地知道用户在抱怨什么，所以应该鼓励他们成为改进产品体验的创新源泉。我不赞成企业大张旗鼓地搞创新，非要巨额投入资金，非要设立创新研究院，非要做一个整套的创新战略。我觉得休克式疗法的创新很难成功，我主张把创新从神坛上拉下来，从一些细微点上进行持续创新，这样反而更有效。

第二，通过合作培育突变的基因，短时间内获取不具备的能力。转型就像从一个基因的物种向另一个基因的物种进化，最后能从水里的变成岸上的非常稀少。我觉得要想跨界，合作非常必要。合作就像外部来了一个刺激，会导致基因突变，让自己短时间内获得不具备的能力。否则，靠自己的摸索，像自然界中漫长的进化一样，可能要十年二十年也不见得懂互联网。所以，通过与互联网公司杂交，生出一个怪胎，这个怪胎有传统厂商的基因，又有互联网公司的基因，它可能会通过碰撞、矛盾、妥协，让企业获取之前并不具备的能力，让转型的路走得更通畅。

为什么我不看好智能手表？

最近有一个趋势很热，大家都知道，那就是"可穿戴设备"。谷歌推出了谷歌眼镜，现在苹果又要出手表，一下子弄得整个行业都很激动。于是，大家都在说，可穿戴设备是一个新的趋势，是一个新的潮流，是行业发展的未来。

你说可穿戴设备是不是机会？用正确的废话来讲，它一定是未来的一个趋势。我们可以看到，最早的上网设备从个人电脑到平板电脑到手机，都是智能设备，都能够和互联网、云端的数据发生交互，越来越多的设备将互联在一起，互联网将无处不在，这一定是未来的趋势。

但是，即使这是趋势，这里面一定就有你的机会吗？我看到很多公司在可穿戴设备上存在两个误区。

第一个误区是价格。在美国，一个东西卖 99 美元，这是一个挺便宜的价格。但是，换算成人民币，这就是 600 元，在中国就不是一个便宜的价格。在中国要做一种可穿戴的智能设备，必须满足中国最广大的草根用户的实际需求，价格必须是他们能接受的。

今天不少公司模仿苹果要做手表，我给的建议都很直接。今天很多男人戴表不是看时间，更多是为了彰显身份，或者当作一种装饰品，或者追赶一种潮流。所以，现在手表只剩下一个功能，就是潮流。但是，实话说，中国的企业不管大小，不管是不是高科技企业，都不具备制造时尚的元素，不具备引领潮流的能力。你不可能做出一款手表来，就达到百达翡丽的高度，也不可能像苹果一样引领潮流。

中国企业做手表，一定是功能导向的，不管什么东西，觉得好就往里头加，短信、日历、天气预报、微博、微信什么的，肯定都少不了。但你手表的盘面很小，电池的续航能力又不够，想在手表上查看个什么东西，还不如从兜里掏出手机直接用更方便。无论在功能上还是在便利性上，手表都不如手机更具有竞争力。所以，我觉得，智能手表除了戴着装酷，没有太多作用。

再说，今天的手机已经不再把打电话作为最主要的功能了，而是娱乐的功能，是玩游戏的设备，是上网的设备。大家都有体会，当你看惯了 5 寸的大屏幕，再让你看一个 4 寸的小屏幕，它就是土豪金，你也不会想买。所以，有些可穿戴设备看起来是机遇，但对于中国公司来说实际上是陷阱。它会让你花很多的精力和金钱，但是消费者不会为它埋单。所以，中国企业做可穿戴设备，首先要问自己到底解决了用户的什么问题，用户凭什么买你的产品。

第二个误区，有些小公司做一款智能硬件，认为增加了功能，就增加了附加值，就可以谋取高额利润了。错了，今天互联网带来的最大颠覆，就是在未来 5 年，它会改变硬件的整个经营模式和商业模式。前文说过，硬件走向零利润甚至免费的趋势，早被凯文·凯利预言了。他在《技术想要免费》的文章里说："在未来（至少在很短的一段时间内），我们所制造的一切几乎都将免费，包括冰箱、滑雪板、激光投影机、服装等等。实现的前提，是这些东西融合在网络节点中，成为网络服务的载体。"

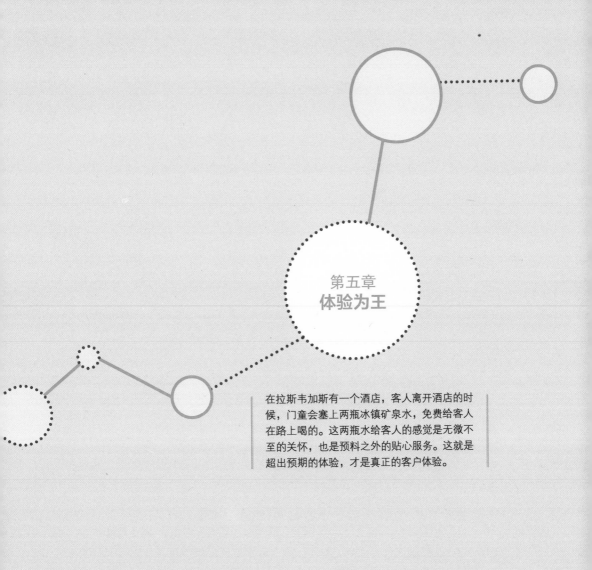

第五章
体验为王

在拉斯韦加斯有一个酒店，客人离开酒店的时候，门童会塞上两瓶冰镇矿泉水，免费给客人在路上喝的。这两瓶水给客人的感觉是无微不至的关怀，也是预料之外的贴心服务。这就是超出预期的体验，才是真正的客户体验。

一个百亿美元的教训

　　不管是别人请我做演讲，还是来采访我，我都会强调一个公司要想在互联网上成功，就一定要尊重用户体验。作为安全软件，360 不仅要尊重用户体验，而且要保护用户利益。有人说：周鸿祎你净喊一些高大上的口号，你不知道现在"为人民服务"、"用户至上"之类的口号都过时了吗？我觉得正相反，我们这些做互联网的，得时刻想着满足用户需求，为用户服务。因为道理很简单，用户基数是所有互联网模式的基础，如果产品做不好，服务做不好，用户用鼠标一点就跑了，那你设计的商业模式再牛，也肯定是一分钱都挣不到。

　　我经常强调尊重用户体验，用户至上，都是因为我曾经由于不尊重用户体验而跌倒过，失败过。我经常说我自己是互联网里最大的失败者，从中得到的最大经验教训就是一定要尊重用户体验，这也是为什么在 360 会有"拜用户教"文化。

没有经过失败的人，说起要把用户放在第一位，要尊重用户感受，那也是头头是道。但这个说起来容易，实际上做着做着就容易忽视用户体验。比如，我在1998年做3721，是为了让中国人能够用中文上网，不用死记硬背那些拗口的英文域名。应该说，3721的出发点是非常好的，事实上也通过创新帮助普通用户解决了刚上互联网不会英文域名的问题，解决了互联网搜索的问题。但是，最后在市场竞争中，我们只关注竞争对手，犯了不尊重用户体验的错误。

1998年，我开始正式创业，我的第一款产品就是3721。因为当时我有一个朴素的想法，外国人上网时只要在地址栏输入"www……"的域名就行了，但对绝大多数中国网民来讲，这太复杂，根本记不住。我于是想开发一款产品，在地址栏里面打上中文，就能直接到达要去的网站。比如，你输入"人民日报"，就能直接跳到《人民日报》的网站。我希望借此帮助国人用中文上网，就像后来的口号一样，"不管3721，中国人上网真容易"，这是一个美好的愿景，3721也因此获得了很多小白用户的认可。

当时为了方便我们中国人上网，我想了很多办法，即使从现在的角度来看，那都是一种创新。那个时候，网民下载软件需要点击下载按钮，下载结束后将软件保存在电脑的硬盘里，然后点击文件安装，安装完毕之后再运行。这个时候在电脑桌面的右下方会显示一个小的图标，这样一款软件就算安装完了。但这个过程太费时，而且那时候我们接到很多网民的反馈，说下载3721中文上网软件，怎么就没装上呢？我们技术人员一看，原来网民下载完了就以为装上了，没有进一步点击安装、运行。于是，我们就琢磨着能不能采用一种更简单的方法安装软件？我们借鉴了Flash插件的做法，把下载、安装、运行整合成一个过程，用户只需点击yes（是），省去了很多精力。

其实，这正是苹果公司在iPhone和iPad上采用的软件安装方式，但对3721来说，这种创新太超前了。

在中国激烈的市场竞争中，3721虽然有很多创新，但犯了一个致命的错误，那就是在跟百度的竞争过程中，不尊重用户感受：为了抢夺市场份额，我们频繁给用户弹窗安装软件；为了与百度抢地址栏，为了防止百度强行删除3721，我们把3721做得很难卸载。我认为这是非常惨痛的教训。从用户的角度来看，虽然产品给他们带来了很大的方便，但一旦有一个地方给他们造成极大的不方便，导致了糟糕的体验，那他们也会毫不犹豫地抛弃它。这些都是需要修正的地方，但我们并没有在意。当年，我单纯地认为只要把软件做好，只要放在网上让人下载，任务就算完成了，对于用户怎样下载，怎样安装，怎样使用以及怎样卸载，整个过程我们并没有关心，而这恰恰是产品体验的重要组成部分。

确实，由于激烈的市场竞争，再加上我当年年轻气盛，血气方刚，导致我只关注竞争对手，却忽视了用户的感受。产品频繁弹窗、难以卸载，这两个缺点忽视了用户感受，影响了用户体验，不仅为后来3721的发展带来了很大的问题，给我自己也带来了很大的困扰。后来几乎所有的互联网公司都用插件的方式推广软件，都号称是我的学生，但是其手段非常流氓，根本就不给用户点 yes（是）和 no（否）的机会，强行安装到用户电脑，从现在的角度来看，就是具备了木马病毒的特征。

这些流氓软件做尽了坏事，却打着我的旗号去做，坏我的名声，于是在 2006 年我做了 360 安全卫士，对祸害用户的流氓软件六亲不认，一律查杀。可以说这是我对曾经忽视用户体验所做的补偿，也是我吸取了 3721 失败教训的结果。这个价值百亿美元的失败让我认识到，忽视用户利益，忽视用户体验，最终会被用户抛弃，会自食恶果。

但 360 安全卫士这款简单的产品受到了人们的欢迎。这让我相信，你对用户好，用户就会报答你。做 360 的时候，正是因为吸取了经验教训，做任何事情都永远把用户体验、用户利益放在第一位，也正是由于 360 特别重视用户的体验，特别重视保护用户的利益，所以 360 在不到三年的时间里迅速成长为中国最大的安全软件。360 的成功也让我认识到这样一个道理：在互联网时代，产品是否能够成功，用户体验越来越变成一个关键。

超出预期的才叫用户体验

什么是体验？我认为，用户体验其实就是一种心理感觉。拿最简单的吃饭这件事来打一个比方。我在饭店，吃饭付账，这个过程叫作体验吗？肯定谈不上。这种体验，肯定是特殊的，肯定是不正常的，肯定是在你的预期之外的。

如果做跟别人一样的东西，那这些功能并不叫体验。很多人在抄袭别人产品的时候，经常说某某公司做了什么功能，老板说照着做一个，但是你想没想过，如果做得跟别人一样，是没有机会的。当年我们做的是免费杀毒。当时所有其他品牌的杀毒软件都要花钱去买，价格都比较昂贵，需要几百元。有些懂技术的人会在网上找盗版，而大部分电脑都是在"裸奔"。突然有一天，360杀毒比收费的杀毒做得更好，而且免费。在当时，很多人都觉得不可能。有的人还觉得，周鸿祎是个骗子吧？这是一个陷阱吧？但无论用户怎么想，它会给大家一个强烈的刺激，这就叫体验。但是对第二家或过了三年再慢慢学习 360 免费的厂商，大家就不会有这么强烈的体验了。

另外，如果用户用完了，感觉及格、良好，也不会形成真正的体验。体验要像拿针刺一下，或者踢一脚，让你印象深刻，才会形成一种口碑。

我推荐大家看一本书，叫作《商业秀》①，副标题是：所有的行业都是娱乐业。娱乐业是最靠体验的，我们在日常生活中买一瓶水，你喝了没有体验，虽然能解渴，但没有超出预期。花 70 元看一场电影，在拉斯韦加斯看一场秀，你得到了什么？什么都没买到，买到的是一个标准体验。所有的电影、所有的秀能不能成功，在于能不能给你一个巨大的情感冲击。

在拉斯韦加斯有一个酒店，客人已经结账退房，在他走出酒店的时候，门童会塞上两瓶冰镇矿泉水。这是酒店免费送给客人路上喝的，成本几乎为零。但是，这两瓶水给客人的感觉是无微不至的关怀，超出了预期。

出差住酒店，我可能比大家有点钱，但我也很紧张，也不敢动里面的东西，因为酒店里放着水，一打开就是收费的，而且价格还很高。但是，在我离店的时候，如果酒店能够给我免费送两瓶水，这就叫超出预期，这就是好的体验。或者说，房间里两瓶免费的水喝完了，酒店能及时补上更多的矿泉水，这也叫好的体验。所以，超出预期的体验，不一定是给用户 1 万块钱，而是超出用户的期望，才能获得更高的用户满意度。

我想到的另外一个案例是汉庭。当年汉庭为每个房间配备了五种枕

①《商业秀》中文版已由中信出版社于 2004 年 1 月出版。——编者注

头，适合不同的人睡眠，是国内经济型酒店中第一个这么做的。按理说，这也算不上什么革命性创新，但确实顾客打开衣柜的时候会感到惊喜，这完全超出了他们的预期。

再举一个海底捞的例子，真正吸引很多人去的，是海底捞给大家提供的食材是高档鱼翅吗？不是，海底捞提供的东西跟其他饭馆差不多，为什么大家去海底捞？因为它的服务好。好在哪里？只不过做了一些同行没有做的事情，比如给你擦眼镜，给你擦鞋，饭前免费嗑瓜子，饭后免费吃西瓜，能举出很多例子。还有人开玩笑说，如果你没有女朋友，走的时候可以带一个服务员走。海底捞的服务能在网络上形成话题，能够自动传播，就是得益于这种超出预期的体验。

网上有很多营销的例子，如果你做的体验能够超出用户预期，就能形成口碑。360做了一个开机小助手，也变成了一个流行的范式。大家会自动转发，恭喜你，你的工资超越了中国1%的人，所以本月你要继续努力；恭喜你，你的起床时间击败了寝室里其他三个同学，还有同学起床失败，正在重起。所以，超出用户的预期，才能形成体验。

传统行业的企业向互联网转型，用户体验如果把握得好，可能会形成突破。很多大公司宣布转型，就像革命一样要实施休克疗法，但这不一定成功。也有企业找很多专家、教授、博士，像IBM、微软一样建立创新研究院，但这在互联网上也很难玩儿得转。要应对变化的商业环境，要进行自我革新，你需要重新回过头来，研究你的业务流程，研究你的用户消费习惯，重新看你的用户如何使用你的产品，你的产品是否给用户解决了问题。这样点滴改进，用户体验一定会改善。

比如，打开苹果手机的包装，你会觉得它跟别的手机不一样，这就是体验之旅的开始。有些产品递交到你手里的时候，就已经充好电了，直接开机就可以用。有的家电送到你家里，还要你自己找电池装进去，这样就让人感到焦躁。有的厂商就把电池一起给你送到，你一装即可。这些东西重要吗？对厂商来说，可能都不重要。但是从用户的角度讲，这很重要。怎样让用户很爽，从头爽到尾，这就是娱乐业的精神。

亚马逊的"飞轮"

亚马逊的首席执行官贝佐斯从 1994 年开始做网上书店，跟雅虎的杨致远一样，算是美国互联网界的前辈，比谷歌那哥俩的资历还要深。20年过去，弹指一挥间，与他同辈的人和企业，大都已经"风流总被雨打风吹去"，但贝佐斯和他领导的亚马逊一直快速成长，一直挺立潮头，在2011 年成为市值过千亿的第二家互联网公司。这在商业竞争激烈、技术变革飞速的互联网行业，真的是一个奇迹。

我看公司，从来不以市值论。国内也有市值过千亿美元的公司，将来肯定会有更多，但市值多少是一回事，公司值不值得尊重是另外一回事。赚钱再多，如果不能给用户创造价值，甚至以欺骗用户、伤害用户来获得商业利益，这样的企业就不值得尊重。亚马逊就是一家不断提高用户体验、创造巨大用户价值的令人尊重的企业。

其实，从一些华尔街投资者的角度来看，亚马逊的投资回报率并不是最高的。贝佐斯也一直被华尔街看作一个顽固分子，分析师们讥讽亚马逊的投资回报率只有 4.5%~6%，需要 6 个季度以后才能开始回收投资，每投入 1 美元才能产生 6 美分的回报。但贝佐斯不吃华尔街这一套。他在 2009 年致股东的信中得意扬扬，甚至自大地写道："在我们的 452 个目标中，'净收入'、'毛利润'和'运营利润'等字眼一次也没出现。"

　　贝佐斯强调的是客户体验，其实就是我们所说的用户体验。在致股东的信中，他说："在客户体验方面，我们已经设置了非常高的门槛，并且有着异乎寻常的不断改进的紧迫感。"因此，"我们要基于长远创造更好的客户体验"。

　　从 1994 年在网上卖书开始，亚马逊率先利用互联网的技术优势进行各种创新，创造了很好的客户体验。例如鼓励读者写书评，利用读者购买的图书来推荐其他相关产品，等等。这些是传统书店没办法做到的。这些创新被迅速模仿后，亚马逊在物流体系上投入巨资，提高库存周转，加快货物递送速度；顾客不仅能更快地拿到货，还能在线查询订单处理情况。

　　最新的案例应该算是下面这个。《华尔街日报》刚刊出一篇文章《亚马逊最厉害的武器——贝佐斯的偏执》，这篇文章的作者提到，他在亚马逊网站购买了一条价格 13 美元的运动裤，到货后发现裤子太大想退掉。结果他收到亚马逊的一条重要的消息：他作为一个重要顾客，无须退回这条运动裤就可以拿到退款。换句话说，在评估顾客的重要程度，以及评估退货产生的费用可能会超过这条运动裤的价值后，亚马逊决定让这名顾客白拿一条运动裤。

贝佐斯一直强调的"客户体验"，在亚马逊到底有多重要？

《彭博商业周刊》记者布拉德·斯通所著《一网打尽》[①]提到这样一个细节：贝佐斯有一个公开的电子邮箱，他会阅读大量的顾客投诉，在邮件中加上一个"?"，然后，把电子邮件转发给相关的亚马逊员工。虽然电子邮件营销为亚马逊挣了很多钱，但是因为顾客强烈投诉，一些生殖健康类产品最终在贝佐斯的要求下停止了邮件营销。

为什么亚马逊会把客户体验放到这么重要的位置？

我的理解是，零售业作为服务行业，是体验式经济的前沿阵地。传统的经济模式是，制造电视的企业把电视卖给顾客，就完成了销售任务。电视是耐用消费品，企业巴不得顾客从此再也不来麻烦自己，这样它可以用广告和其他手段吸引新顾客。但是，零售业本来利润率就低，它必须依靠顾客持续购买才能产生规模收入。这就意味着像沃尔玛、亚马逊这样的零售企业必须得产生好的客户体验，顾客在购物过程中感觉舒服，才能以后再来购物。这如同我一直强调的那样，任何企业都应该像零售企业一样。用户使用产品的过程，是企业与用户对话的过程。用户买到产品，并不意味着销售任务结束，而是体验之旅才刚刚开始。

这样，大家也就能理解，为什么无论是沃尔玛还是亚马逊，都会舍得将巨资投到物流体系上。好的物流体系不仅能让企业精打细算，花好每一

---

① 《一网打尽》中文版已由中信出版社于 2012 年 1 月出版。——编者注

分钱，还能让顾客尽快拿到货，提高顾客的满意度。

贝佐斯崇尚的"飞轮"理论则是亚马逊体验为王的形象化表达。李黎女士在其《亚马逊的三个顾客》一文中写道：贝佐斯认为，在亚马逊的"飞轮"里，当客户体验更好的时候，流量自然会增加，更多的流量会吸引卖家来网上卖东西，这样顾客就有了更多更丰富的选品，获得更方便的服务，这也将进一步提升客户体验。随着"飞轮"的不断成长，亚马逊的运营成本会被分摊，成本结构将会更加合理，还可以将省下来的钱返还给消费者，以形成更低价，这也是提升客户体验的一个重要因素。

这个"飞轮"理论，不仅适用于电商，而且适用于所有的互联网公司。

对于贝佐斯来说，亚马逊孜孜以求的卓越的客户体验，已经构成了壁垒。在最近几年，贝佐斯极力扩张，亚马逊到底是一家零售公司、技术公司，还是一家数据公司？看起来，它更像一家基础设施公司，只要有销售行为，它就可以凭借自己卓越的客户体验无处不在。

先创造用户价值，然后再产生商业价值，这是我一直强调的。从亚马逊的股价来看，在 2009 年之前，它一直每股低于 50 美元。从 1994 年创立开始，投资者就对这家公司争论不休，因为它总是不按照华尔街的章法来做事，华尔街也不知道它到底会长成什么样。在长达十多年的时间里，贝佐斯不讲如何为股东创造最大的价值，反而大讲如何创造最佳的用户体验。他四处出击花巨资构建了大量用不完的基础设施。这让亚马逊的投资回报率一直无法提高，然而它的客户群体却一直保持增长，且忠诚度高，帮助亚马逊一路打败了众多竞争对手。这让华尔街又爱又恨。

能让华尔街又爱又恨的企业，才有可能发展成为一个伟大的企业。判断一个公司是否伟大，不在于它创造了多少市值，产生了多少千万富翁、亿万富翁，而在于给顾客创造了多大的价值。在国内，有些企业是靠给用户制造问题，而不是通过解决问题来赚钱。比如在一些城市，你一坐上出租车，前排座位后面挂着的液晶屏就开始播放刺眼、刺耳的广告，而且还关不掉。8 年前，绝大多数增值服务提供商通过给客户设计陷阱乱扣费来赚钱，有的竟然还上市了。但事实证明，不为用户创造价值的企业，即使能获得商业价值，也是短暂的。

苹果的像素

现在iPhone几乎成了街机，大家用它的时候都在交口称赞，iPad、苹果电脑，苹果的各种产品都有不俗的销量。但是，苹果为什么如此流行，真的只是因为它外形时尚，有很多外观专利，出过土豪金吗？

在创新部分，我们曾讲过苹果如何打了一场侧翼战，从微小的地方入手，一步步实现颠覆的例子。除了创新，苹果为什么会有那么多忠实的用户，从iPhone 4，一直用到iPhone 5S，甚至从用iPhone，发展到用iPad，最后连笔记本电脑都换成了苹果的产品？

我认为，这种忠诚度很大程度上来自于苹果产品的创新，对用户体验的追求一直持续下去，并始终贯穿于每一种产品之中。

我们做一个简单的实验。你给你年迈的父母或者一个五六岁的小孩子一台iPad，一台安卓系统的平板电脑，一台视窗系统的电脑。一个小时以后，他会用哪台？结果肯定是苹果的产品。下载一个软件，视窗系统会让你下载安装，不停地点"下一步"，但苹果的一个进度条就能完成这种傻瓜式操作。复杂变得简单，这是很重要的用户体验。

我们做过一款产品，360安全桌面，在个人电脑上试图模仿苹果iPad的体验。我们的第一版是把画面切换回来，但做完了之后，跟苹果的感觉差很多，山寨味很浓。我们就找到一个研究苹果的专家，他仔细给我们上了一课。我们才发现，真的苹果里有一个加速的函数，有一个运动的模型。iPad翻屏的时候，不是一个简单的匀速运动，是一个加速运动，到边界的时候，甚至会有一个反弹。为什么苹果要做得这么细致？为什么要这么下功夫？因为它需要让自己的体验被用户感知到。

《乔布斯传》里有一个例子，可以说这个例子已经达到了变态的程度。乔布斯有一天给谷歌高管打电话，说苹果iOS有一个谷歌地图图标，放大多少倍之后，第三行一个像素颜色不对，他认为这影响了iOS的美观。这就是对细节的一种坚持。

所以苹果并非是一个神话。它经历了一个典型的从不起眼的低端市场切入，一步一个脚印地从用户的角度出发，体验为王，不断改进的过程。

体验需要追求极致

前面我们提到了 360 如何利用免费和体验的微创新，最终颠覆了传统的杀毒行业。在这里，我希望从一些小的例子讲起，见微知著，告诉大家360 是如何从细节入手，在每款产品中做到体验至上的。

其实，每个用户行为都不是像我们想象的那样，这就需要我们能找到一种方法，能够理解用户行为背后真正的含义。今天在 360，可能我是最容易进入普通用户模式的人。我经常刷微博看用户是怎么骂我们的。他用360 的产品，用着很舒服，360 给他解决很多问题，还终身免费，但可能哪天他的电脑出了状况，甚至不是 360 的问题，他就上来开骂，说 360 烂到家了。看到这个我也很气愤，但我转念一想，什么样的产品经理最牛？是把产品做得让用户骂不出来的产品经理最牛。我建议产品经理们去听用户吐槽，这就是真正和用户打交道，这样你会发现很有用的东西。

早年我记得印象很深的一个故事，说的是一个老太太给戴尔公司打电话，说电脑上放咖啡的托盘坏了。戴尔公司的客服很纳闷，问了半天才搞清楚，原来老太太把弹出的光驱当咖啡托盘了。话说，如果你是一个产品经理，遇到老太太的问题你会怎么办？只把她当成一个傻老太太一笑了之？

另外一个案例，是我们当初做了一款产品叫360密盘，很失败。我们想当然地帮用户虚拟出一个X盘。由于X盘是虚拟的，对数据加密后，就需要存在硬盘上的一个地方，比如以大文件形式存在D盘里。但很多用户把文件放在X盘里后，觉得D盘里的大文件太占用空间，就毫不犹豫地删掉了。删掉之后，他们发现自己存在密盘里的文件消失了，于是开始骂我们。

我们做了360云盘，但发现很多用户理解不了"同步"的概念。比如，很多用户投诉说，我辛辛苦苦地把相片保存在云盘，怎么都丢了?!我们当时的第一反应是：后台出了问题！了解后才知道，用户看到"上传完毕"后，就认为都存到网上了，然后就把云盘目录里的文件全删了。

这些都是用户典型的行为，而且用户永远觉得他没错。你如果认为这些用户真傻，真无知，好吧，那我敢打赌，你永远不会做出拥有上亿用户的产品来。真聪明的，是从用户的骂声和批评里面找到产品存在的真正问题，了解用户使用产品的心理，甚至能够把很多用户隐含的需求给挖掘出来。

360开机小助手，其实也不是哪个天才突发奇想、灵光闪现想出来的。我们在给用户提供技术支持服务的时候，发现这样一个现象：很多普通用户的电脑越用越慢，于是就以为自己的电脑中毒了，然后就用360杀毒一遍一遍地查。但他们根本就查不出来什么，还是慢，因为电脑根本没中毒，于是他们就开始愤怒，骂 360 杀毒没用。我们开始意识到，用户需要的不是杀病毒，而是电脑启动快。这时候，我们发现电脑启动慢，是因为电脑加载了很多软件的开机启动项，什么播放器、下载器、聊天器，都要随机启动，开机的时候这些软件同时启动，占用了太多内存，电脑肯定就慢下来了。这个时候，我们才开始研究启动项的问题。

做产品必定是个痛苦的过程。用户永远是对的，我们不能对用户发脾气，有的时候甚至需要放下自尊，因为在用户面前，自尊没用。当你做出真正的好产品的时候，当你成功的时候，行业里就会尊重你。在行业里面，做出点成绩，你可以骄傲一点，但面对用户，你永远要放下身段，倾听用户的需求，甚至倾听用户的羞辱。我们都是这么走过来的。

体验的基础是用户需求

用户体验最基础的是用户需求，如果脱离了用户需求，产品设计再漂亮，想法再精妙，都无法和用户产生共鸣。

很简单，用户在购买商品的时候是十分不理性的。比如一个小白用户，可能因为一个导购的和蔼可亲而买一台电视回家，一个设计师可能因为一台电视机的颜色外观漂亮就把它买回家。

但是绝大多数用户都会问一个简单问题，我用这件产品解决什么问题，这件产品给我什么价值，简单说就是有啥用。如果这个问题不能解决，用户不会想跟你谈。但是现在却有太多的用户体验忽略产品，沦入概念的怪圈。

我看产品时，首先都不是看界面，我是看描述，用户在什么场景下来用，这是用户体验最重要的。

大家所谓的用户调研、用户分析、用户访谈，都是在想象用户会用你的产品的情况下进行的。但这是经不住推敲的，如果用户根本没有这种需求怎么办，这种需求很可能是凭空想象出来的。

我跟很多产品经理讲，你的产品第一版界面可以不漂亮，设计上可以有瑕疵，功能可以很简陋，这些都不成为用户拒绝产品的理由。用户拒绝产品的唯一理由是跟你无法共鸣，看了半天不知道它有什么用。

比如今天QQ已经做得很漂亮，但是第一版却很简陋，功能也很少，而它确实解决了中国当时年轻人缺乏沟通工具的问题。360今天的功能也做得极其庞大，产品也很多，但是360安全卫士的第一版功能却极其简陋，跟任何杀毒软件没有办法比，功能极其简单，能力也很薄弱，连基本的自我保护能力都没有。

360安全卫士当时能够起来，不是因为做得有多好，而是当时有一个巨大的市场需求。2006年流氓软件在祸害中国，几乎99%的互联网公司，无论大小，无论中外，都在做流氓软件，而且无人制止。所以360安全卫士能杀流氓软件，就能够解决用户的痛。我认为最好的产品就是能解决用户的痛，痛点越大，产品就越受用户欢迎。有用户你才能成长，才有机会去改善。

同样，用户最早上脸谱网是因为它能联通世界吗？当然不是。这款产品最早出来，就是为了满足哈佛男生认识女生的需要。所以做产品的时候，要忘掉那些概念，忘掉那些大趋势，尽量去观察用户。

细节，还是细节

很多用户体验往往"成也细节，败也细节"。为什么这样讲？因为当你跟同行竞争的时候，在大的功能上不会有很大的差别，用户感知的东西，往往是细节。这时候就要像设计师一样，敏感细腻地挖掘每一个小的地方。

《商业秀》的作者斯科特·麦凯恩遇到这样一件事：他要到美国一个城市给一群商业领袖做演讲，但很不幸，他装西装的行李箱被航空公司塞进了另一个航班。于是，他试着通过电话，让一家叫Men's Warehouse的男装品牌店根据他的尺码准备西装。麦凯恩此前知道这个品牌，但从来没有买过它的服装，但这一次紧急情况下的服务，让麦凯恩彻底信赖了这个品牌。

Men's Warehouse迅速为他准备好了西装，不仅让他如期完成了演讲，而且完全超出了他的预期。但是什么让麦凯恩成为Men's Warehouse的忠实顾客？是迅速响应吗？我觉得不是，而是这家店为麦凯恩准备了两种颜色的西装——藏青色和炭黑色，质地都相当不错，而且还准备了领带、衬衫、皮鞋。

这就是细节的魅力。我经常拿这个方法去观察很多行业，结果一看不得了。商家觉得自己的产品已经做得相当不错了，但其实用户也许是不得不接受你的产品和服务，也许你还意识不到有很多做得不到位的地方。如果这些不尽如人意的细节能够得到改善，那么可能就会带来很好的口碑传播。比如海底捞提供的涮牛肉都是日本神户的A级牛肉吗？不是。但它的体验就产生于嗑瓜子、擦皮鞋、带小孩这些细节上。

比如，飞机头等舱很贵，但餐饮却令人难以下咽。如果能在餐饮上有所改进，哪怕机票涨个几十块钱，也会收到意想不到的效果。很多企业不关注这种细节，最后就失去了用户。如果留心观察，你会发现很多时候细节在别人注意不到的地方。你如果能够找到与众不同的力量，你就能够创造出超出预期的产品。

但是一个细节上的不足，就把下大力气花大成本在电视、报刊上投放的品牌广告给毁掉了。我也住过一些星级酒店，四五千一晚，但上网还要单花200块钱。可能酒店觉得大客户都不在乎花四五千住一个套间，为什么吝啬200块钱的上网费呢？可是我发现每次上网不免费，就体验不好，这就是细节。同样，你请朋友吃饭，花了2 000块钱，但餐巾纸却要两块钱一包，你也会感觉非常不好。这不能用逻辑来做解释，就是一种消费的心理，也是用户的心理。

其实我不懂餐饮，不懂航空，也不懂商旅，但是换位思考之后我发现无论是虚拟服务，还是实体服务，在实现的过程中都存在着大量可以改善的细节，这些都是提升用户体验的机会。不管什么行业，对每个商家来说，技术革命的影响都是长期的，平等的。在技术条件相差不大的时候，我们通过产品的体验设计，有效提升用户体验，让用户感觉更愉悦、更有价值，这是建立品牌、建立口碑的一种有效方法。

一定要聚焦

我一直说，好的用户体验，要像针扎一样，给用户一个刺激。那么这个体验就不能高大全，而是一定要把压强集中在一点，形成聚焦的合力。这就如同高手对决，伤其十指，不如断其一指。

我经常给公司的产品提意见。像我们的随身Wi-Fi，产品团队的人很用心，刚出来的时候有五六个功能。但是，我点评说，有一个功能能够打动用户已经很不简单了，这需要把这个功能想办法做到极致。结果，这款产品聚焦于Wi-Fi功能，解决了很多受校园网局限的大学生和出差在外没有无线网、不会设置路由器的用户的问题，很受认可。所以，很多时候用户选择你的产品不是因为各种高大上的功能，而是因为一个特别简单的理由。

虽然我们做产品时候，应该全方位系统性思考，应该考虑得面面俱到，但思考完了，要在众多的功能中找到一个点作为突破口。再大的市场也需要一个针尖一样的点做切入，所有成功的产品都要找到一个点，把有限的资源聚焦到一个点上，才能形成压强。

有的时候你很兴奋，觉得自己找了几个点，但是当你跟用户说有五大功能、六个体系的时候，你能够记住，但用户真的记得住吗？

有一次我看到一款智能电视的广告，有六大功能，瞬间我就花了眼。之后，作为普通消费者，我肯定回忆不出来六大功能。但是把一个功能做到极致，大家推荐你的产品时说这款电视上免费电影随便看，用起来比优酷还简单，这就能简单地口口相传。

电视遥控器就是这样一个极端的反映。电视遥控器上有那么多按键，恨不得把所有功能推给用户，但用户常用的只有调台键、音量键、开关键三个。

尤其是，我们更多人都不是天才，也不是通才，如果不能聚焦一点，而是面面俱到，平均用力同时做三款产品，每款产品同时铺开五个功能，就很难做出惊艳之处。

当年百度的市场份额能获得这么多，真的是搜索技术比谷歌做得好？不是，是因为百度有MP3搜索。民工兄弟们交流的时候肯定不会说：我在用一个搜索引擎，使用了高级的搜索技术。他们会说：有一个网站，上面可以免费听歌，可以免费下歌，你也可以试试。正是这样一个简单的点，打动了越来越多的小白用户，才有了今天的百度。

如果你能听到用户这样的声音，那么要恭喜你，说明你找到了一个值得聚焦的点，因为这正是用户的关心所在。如果你还不能如此敏锐，那该怎样快速找到产品的聚焦点？特别简单，看用户发帖，看用户骂你，或者倾听用户的声音，用户会用一种最朴素的语言，总结你的产品能够打动他们的一个点。

大道至简

很多时候，我们去买一台电视，比完分辨率比功能，以为自己很理性。但最后还是很有可能因为那天的销售员很漂亮，就买了一台电视机回家。消费者其实是不理性的，他们选择和拒绝一款产品，往往来源于人性很小的点。所有成功的产品都是从人性的角度出发的。

而大部分人天生就是懒惰的。人性的懒惰就使大家会自动自发地选择更易于操作的产品，所以要让简单也成为一种重要创新，带来一种全新的体验。只有把东西变简单了，你的产品才能成为越来越多消费者的选择。

如果买一辆汽车还需要学发动机原理、机械原理才能开，今天的汽车工业也不可能发展起来。今天互联网越来越普及，跟十年前的互联网比，就是越来越简单。

网页游戏这几年很热，其实你仔细想想，页游之所以流行，是因为它带来的便利。过去你想玩儿一个传统的RPG游戏（角色扮演游戏），有1

个 G（数据容量单位）大小，带宽再不好，要下载半个小时到一个小时才能下完，这就成了一个瓶颈。但是页游标榜的是什么？打开浏览器，点一下，可能一两分钟以后就可以玩儿了。就这样，大家渐渐都只玩儿页游了，页游对传统游戏就形成了一个颠覆。虽然页游在刚开始的时候，画面不够精美，玩法不够复杂，甚至到今天，很多页游的生命周期都比 RPG 游戏短很多，但是这些缺点都不重要，重要的是它让用户方便了 100 倍。

其实一个东西，最后你选择它，不是因为做得漂亮，而是因为做得特别简单，特别好用，这就是核心。如果你去谈战略，就会忽略这些细节的东西，但是你从消费者的角度来看，这些体验则正好吻合了人性的需要。这种改善如果再能放大，就会变成一种巨大的颠覆。

很多人以为 360 只靠免费，其实我们的成功也离不开这种简单的体验。在 360 之前，所有的安全软件都恨不得通过让用户看不懂，来证明自己的高科技。而我们就把软件做得很简单，很娱乐化，但实际上消费者感觉很好。

产品简单才有人使用，有使用才会有交互，才能建立品牌。所以把复杂的东西变简单也能完成颠覆式创新，这说起来好像挺小的，但是简单的力量非常巨大。

往往大公司只会注重布局，注重大的、宏观的战略，而忽视了简单这种微小的地方。但很多时候，成败往往是这种微不足道的颠覆所带来的。当年诺基亚遇到挑战的时候，请了一个新的首席执行官，制定了宏大的战略。他们开始布局，收购公司，要做互联网转型，但是他们没有人去考虑用户的需要。比如，我是程序员出身，算是一个对技术很有了解的人了，但是我使用诺基亚的手机，下载一个软件，存在什么地方，要费半天劲才能找到。还有，一个开发者要向诺基亚申请一个开发权，那过程十分烦琐，竟然需要六个月的时间。这个问题不改变而大谈互联网战略，就是缘木求鱼。

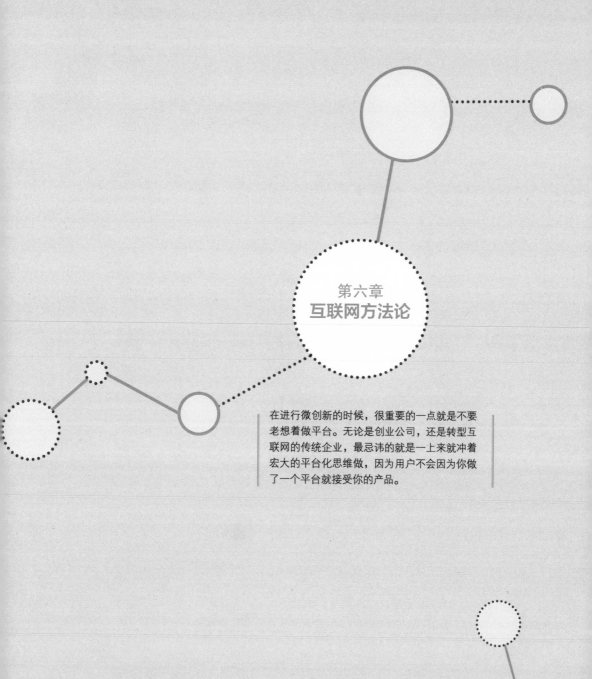

第六章
互联网方法论

在进行微创新的时候，很重要的一点就是不要老想着做平台。无论是创业公司，还是转型互联网的传统企业，最忌讳的就是一上来就冲着宏大的平台化思维做，因为用户不会因为你做了一个平台就接受你的产品。

什么是微创新？

中国以及全世界已经进入体验主义网络时代，或者说是体验经济时代。对消费者来说，体验是选择产品、选择公司最重要的依据。所以我把创新和体验结合起来，就变成了我一直鼓吹的一个新的概念——微创新。怎么定义微创新呢？从用户的角度来看问题，从行业巨头看不到、看不懂、看不起的小处着眼切入市场，通过快速地、持续地改进产品的用户体验，从而达到颠覆市场格局的目标，这种持续不断的创新就叫微创新。

我试图颠覆创新的定义。原来，我们一谈创新，就很容易陷入两个误区：首先，创新就是说我们申请了多少专利，但今天申请专利再多也只取决于你的律师，取决于你对专利的了解，很多新兴的东西并不是依靠专利做起来的；其次，很多人一谈创新往往会谈像国外企业一样看有多少个创新研究院，有多少高新技术人才。

我认为这样的创新概念既不适合一般的初创企业，也不适合实力一般的向互联网转型的传统企业，更不适合飞速变化的互联网企业。在互联网里，用户并不真正关心你背后的搜索算法，更不关心你的算法用的是第五代还是第六代技术。用户用你的产品，最重要的是在问：你给我解决了什么问题？你让我觉得舒服的点在哪儿？让我觉得好用的地方在哪儿？所以，一切从用户出发的这种创新，我都把它归结为微创新。网上有人曲解这个意思，说微创新就是抄袭，就是做一点一滴很小的改动，我觉得不是这个意思。我讲的微创新一直强调从用户出发，做用户可以感知的东西。

你觉得苹果的iPod、iPhone还有iPad有什么高、精、尖的技术突破吗？其实没有，但苹果把现有的技术以一种新的方式整合在一起，呈现在用户面前，提供了一种完全不同于视窗系统的全新体验。靠这个占领市场后，苹果就快速推新版本，每一个新版都有新的用户体验。所以说，苹果是利用做互联网软件的方式做硬件。

互联网产品，不管是客户端还是Web（网络）应用，要赢得用户，首先要找到典型用户群，提供好的用户体验。要提供好的用户体验，就得找到能打动用户心扉的那一点。这并不是说打动就能打动的，有一下子蒙对的，那是运气；有试错试出来的，那就变成了经验。

有两点很关键：第一从小处着眼，贴近用户需求心理；第二要小步快跑，快速出击，不断试错。我把这两点称为互联网上的"微创新"规律。

当年我们千辛万苦地做奇虎社区搜索，花了牛劲儿做了很大一个东西，但打动不了用户，结果就靠广告、靠推销、靠渠道生拉硬推。一旦不推广了，用户访问量曲线掉头就冲下去了。我们很不经意地做出的360，却正好打动了用户心里的那一个点，一下子就普及起来了。所以，我在公司经常讲，做产品，一定要找到那个点。

很多人说，腾讯QQ是靠社会关系把用户黏在那里的，但手机号码具有社会关系的黏性，手机用户不是一狠心就转网了吗？其实，QQ本身就有很多微创新，比如QQ文件传输速度比MSN（微软的即时通信软件）快，这就打动了用户的心。这一点小小的创新，让QQ不再只是一个聊天娱乐工具，而是变成了一个高效的办公工具，一下子就把很多坐办公室的人变成了QQ的用户。

360安全卫士从查杀流氓软件开始，也是一直在做微创新工作。查杀流氓软件就是微创新，传统安全厂商怕得罪人，不敢干，没有钱赚，不愿意干，袖手旁观看360的笑话，结果360受到广大用户的欢迎。后来，360开始给用户电脑打补丁，这也是一个微创新。别人嘲笑我们，觉得打补丁真是不一般的傻帽儿，一点技术含量都没有，人家都不屑于干。我们不怕别人笑话，觉得打补丁、补漏洞能让用户的电脑更安全，那360就去干，不管有没有钱赚，有没有利可图。

那个时候，360的团队也有人想不通。我跟他们说："一件小事，你把它做到世界第一，做到极致，就是一件大事。相反，你觉得自己牛，能写100万行代码，做出来一个大产品，技术含量高，但用户用不了，不愿意用，这种产品又有什么价值？"

　　360 免费杀毒刚出来的时候，传统安全厂商还是嘲笑我们：看看 360 杀毒，只有三个按钮，太简单，不专业。现在你再看，打补丁、补漏洞成了安全软件的标配，杀毒软件也纷纷效仿 360 杀毒的三个按钮。

　　包括体检、开机加速，你要是打开 360 安全卫士，每一个功能都是微创新。360 就是靠这样一个一个的微创新发展起来的。要做出微创新，就要像钻进用户的心里，把自己当成一个老大妈、大婶那样的普通用户去体验产品。模仿可以照猫画虎，但肯定抓不住用户体验的精髓。

　　其实，只要真的是全心全意为人民服务，创新就会源源不断，像泉水一样奔涌出来。

小处着眼

　　我们在一个行业干久了，就会很武断地认为应该教育用户，有些技术应该灌输给用户。但一个小白用户，去一个饭馆吃饭，或者到 4S 店（汽车特许经营店）买车，到京东上买一台电视，他们的决策真的是很理性的吗？其实不是，他们其实是非常感性的，他们喜欢一个东西，完全和我们想的不一样。所以有时候从消费者的角度来说，我们"专业人员"认为很重要的事，消费者没有感觉。比如，你辛辛苦苦做了一个产品的大改版，做了一个后台改进，但消费者没有感觉到，我认为这就不是创新。

　　相反，你无意中做了很小的事，但消费者觉得对他影响特别大，这个创新就很大。如果你能影响到千千万万的消费者，那件所谓的小事就不再小。举个例子，微博很流行，但之所以流行是因为它有独到的技术？实际上，微博之前博客早已存在，但是我相信没几个人能坚持写博客。你不可能每天都写 2 000 字，所以你就一个月写一次，一年写一次了。

其实微博是在博客的基础之上做了一项微创新，缩短了字数。140 个字，会发短信就会发微博。它降低了所有人的门槛。今天很多人都很浮躁，大家都在网上看标题，所以 140 个字满足了快速阅读的需求。它还对新闻和资讯的生产方式产生了颠覆，因为它让很多人进来了，很多人在写微博，看微博，对传统媒体，对传统门户，对新浪自己都是一种颠覆。

如果从专业人士的角度来看，我们会觉得太可笑了，能写 140 个字，我还能写 1.4 万字呢。但这个小小的改变就产生了完全不一样的产品，完全不一样的市场效果。所以，微创新最重要的是换位思考，从用户角度出发。很多公司特别是发展到一定规模的公司，干的很多事情都会慢慢地从自己出发，总觉得自己做一款产品用户就该用，很少想想用户怎么看。

在面对很多强大对手的时候，我们想到的所谓大事，对手也想到了，因为对手往往比你强，最后容易忽略的往往是小的体验，所以从小的体验出发才有可能颠覆对手。

小步快跑

在产品的开发周期上，一个原则叫小步快跑。最近有本书叫《精益创业》，说的就是这方面内容，这非常符合我们的互联网文化。过去我们总想着有个伟大的想法，在屋里弄一帮人，闭关三年，横空出世。等你做出来了，就算产品符合当年的需要，但计划赶不上变化，市场早就不一样了。再说万一你没赌对呢？所以现在互联网讲究的是用最低的成本、最小的规模、最快的速度去尝试一个粗糙的东西，快速拿到市场上去试，市场好就趁热打铁，乘胜追击，不好就赶快换方向。

现在我们很多的创新，很多不起眼的小功能都是不断改进做起来的。所以当你想到一个主意时，速度是最重要的，不是要做得特别完美，而是尽快把产品做出来。不管产品做得多粗糙，只要有核心功能，就要尽快把它放出去，让用户去用，让用户去骂。你要经常看看用户有什么反馈，亲自在论坛上回帖，亲自与用户用QQ交流，在微博上盯用户的反应。这是每一款产品必然要经历的过程。

如果我们做一个新功能，是否受欢迎我们不知道，反正领导说了，这个东西要能支持 1 亿用户。为了 1 亿用户我们先采购 5 000 台服务器，然后又雇了很多人，做了很多事，花了一年搭出来一个能支持 1 亿用户的平台，但最后用户不买账。

我们自己也有过这种惨痛教训，后来再做新功能时，我说先别跟我谈 1 亿用户，你先让 100 个用户来试试，看看反应。如果 100 个用户使用反馈很好，那我们再多买两台服务器，看 1 万个用户行不行。如果 1 万个用户反馈情况不错，那我们可以批量采购服务器了。所以按照这个小步快跑的微创新理论，很多企业的研发方法、产品发布方法和迭代更新的速度都会有所改变。

关于产品，我提两个数字概念。第一，产品刚出来的时候最不重要，哪怕第一天有 1 000 个用户，第二天有 2 000 个用户，第三天有 3 000 个用户，第四天有 5 000 个用户，这就是一条健康的曲线。但是如果我们花了很多钱做推广，结果第一天有 1 万个用户，第二天还是 1 万个用户，接着第三天 8 000，第四天 5 000。大家会更加喜欢哪条曲线？肯定是第一条增长曲线。所以，做产品不要在乎绝对数，而是要关注相对的增长趋势。

第二个数字，就是产品有很多环节，如果满分是 1 分，但每个环节我们都只做到 0.8。你以为产品出来就是 0.8 分？错了，是 0.8 乘以 0.8 乘以 0.8，总分是 0.51。功能越多，数字就越小，产品失败得就越快。所以，功能更贵精，不贵多，要在每一个点上做到极致。

不要平台化思维

微创新最容易犯的错误是不聚焦，其实我也经常犯这种错误。大公司是不容易聚焦的，比如360现在有6 000多人，企业变大了，有一定实力了，需要同时做好多业务。相反，小公司更容易聚焦，更容易微创新，因为小公司没办法，不想聚焦也不行。创业只有两三个人，十几条枪，所以只能干一件事，甚至只能做一个功能。在这种情况下，他们往往会把这个功能做到极致，无意识中进行了微创新。

举个例子，很多公司做生活搜索，做成了吗？没有。微创新不在乎做很多功能，而是一定要找一个点，把有限的力量聚焦在一个点上才能形成突破，就是所谓"压强原则"。

有头大象，我们怎么也推不动它，但如果你把力量变成一把锥子，很有可能就把它刺痛了。很多人说，未来要做成一个伟大的公司，但我觉得再伟大的目标，也要从小的引爆点开始突破。

在进行微创新的时候，很重要的一点就是不要老想着做平台。无论是创业公司，还是转型互联网的传统企业，最忌讳的就是一上来就冲着宏大的平台化思维做，因为用户不会因为你做了一个平台就接受你的产品。说服用户使用你的产品，不需要你吹嘘的十大功能，只需要一个突破点就可以了。

大公司最喜欢平台战略，但往往因为不聚焦，从而丢失用户。诺基亚被微软收购，现在微软连诺基亚这个百年品牌都要抛弃了。大家想一想，这几年诺基亚还有做得对的地方吗？面对苹果和安卓手机的挑战，诺基亚公司从微软请了一个高管当首席执行官，还请著名的咨询公司给它做宏观的战略。他们采用平台化战略，收购了一堆公司，把这个战略分解成KPI（关键绩效指标）让员工执行。这个战略看起来没有错误，但是它最大的错误，就是把什么都照顾到了。

诺基亚唯一没做的，就是给用户解决问题。举个例子，你用诺基亚装过软件吗？那真是一个非常不好的体验，它要求你知道什么是软件签名，即使知道了，你还是很难找到下载来的软件。而且，下载速度特别慢，浏览器做得还特别烂。中国有 13 亿人口，我觉得 12.9 亿不会从诺基亚上下载程序。今天，所有的手机操作系统几乎都是跪求开发者来为自己开发软件，因为用户之所以决定购买安卓手机还是 iPhone 手机，很大程度上取决于在手机上能安装哪些好玩儿的东西。所以，对操作系统来说，开发者非常重要。但当年在诺基亚的操作系统上，开发者申请一个账号也是很困难的一件事情，需要四处求人，花半年时间才能被认证。这些体验没有人去改善，只单纯规划一个所谓宏观平台，这完全是南辕北辙。

互联网里的平台都不是做出来的，都是积累起来的，是在为用户服务的过程中形成的，最开始都是从一个点做起。如果在 2006 年 360 按照安全平台的思维去做，肯定早就死掉了，因为要成为一个平台，要做的东西太多。按照平台思维去做，你可能做不出来，可能需要的时间很长，可能到最后也没有形成自己的突破点。

如果你今天手里有 1 亿人，就很容易取得成功，就像腾讯有用户，插根扁担都开花，而其他人种树苗怎么浇水都不行，因为没有土壤。所以当你有了足够的用户，就可以随心所欲地建立自己的商业模式。最关键的是在你没有用户的时候，用什么微创新的点切入。

所以很多企业是被平台战略害死的，因为平台战略给领导做报告特别好听，特别宏大，特别符合中国人的概念。但最大的问题是消费者不买账，消费者不会因为 360 通过了一个无线平台战略，开了一个无线平台战略发布会，就选择你的商品。消费者永远会问你一个问题：我上你的网站，装你的软件，你解决我的什么问题？

口碑是衡量创新的标准

　　衡量什么算微创新，其实有一个很简单的标准：用户会不会用最屌丝的语言在用户间流传。今天微信很成功。在一开始没有太多人用的时候，它是怎么通过微创新来突破的呢？它做了一个功能叫"摇一摇"。今天用这个功能的人并不多，但这个功能当时在很多用户中为微信创造了口碑。很多人会神秘地对同事说：有一个叫微信的东西，你也装一个，摇一下就能摇出妹子来。它实际上成功地在用户中形成了口碑，完成了第一波用户的积累。所以当你做一种微创新的时候，不妨去看一看用户在网上会怎么说。

　　大家都用快播，快播曾经有一个功能特别受欢迎，叫雷达功能。比如我正在车站等车，等得很无聊，看见有位同学拿着手机正在看一部片子。我跟他也不认识，很想问他借一下，但他又不给我看。我摸出手机雷达一下，就可以扫描他在手机上正在看什么片子，我找他求个种子，然后就把它下载下来了。这个功能高端用户都不知道。我知道雷达功能不是快播的创始人告诉我的，是我身边的年轻人告诉我的。所以我发现给用户带来强烈体验的东西一定能形成口碑，口碑形成是检验产品的一个标志。

创新需要土壤

2011 年 10 月，浙江省某市政府发布了一个重大的人才培养工程，以 5 年为一个培养周期，每周期投入培养经费 5 000 万元，邀请两院院士做导师，培养 100 个"乔布斯"式领军人物。结果，这个消息一下子爆开了，"培养 100 个中国乔布斯"成了一个大笑话。

其实，这里有误解。人家说要培养 100 个乔布斯式的领军人物，说白了就是培养创新领袖。我在 so.com 上搜了一下关键词"创新＋工程"，结果有知识创新工程、党建创新工程、国家技术创新工程、社会管理创新工程，每一个是不是听起来都挺宏大的？

但我非常确定地说，而且我一直以来都持这样的观点：今天的中国没有乔布斯，谁说自己是乔布斯，谁就是骗子，目前的中国乔布斯都是赝品。那么，中国有 13 亿人口，难道就没有在智商、个性、创新力方面抵得上乔布斯的年轻人？我觉得，如果按比例来看，绝对有。他们就像种子一样，但可惜落到了一片不宽容的文化土壤上。宽容是创新之水，如果没有宽容之水浇灌，那这土壤就很难支持创新，再好的种子落到这片土壤上，也长不出乔布斯来。

我讲创新，翻来覆去地讲，举出各种案例来讲，讲了很多，但最后发现这些东西都是术。我们能不能创新，能不能培养出乔布斯式的领军人物，最后还是落到我们是否有支持创新的宽容文化上。

那么，什么是文化？

不是讲讲《论语》、讲讲《易经》就是文化，文化是我们每个人遇到一件事，脑子里出来的本能反应——善恶判断，是非标准。

举一个最简单的例子。中国的文化，我们对企业的价值判断，不是看这个企业有没有创新，有没有为用户创造价值，而是看它有没有赚钱，有没有上市，有没有市值上百亿过千亿。简单地说，我们现在判断企业，乃至判断一个人的标准，还是成王败寇。

我们每个人都很崇拜成功，我每天都在努力地工作，也是为了证明我不是一个失败者。如果我失败了，或者360没能上市，市值没能过百亿，他们也不会请我去讲课。一个人的思想和看法从来没有变过，但是公司上市了，市值过百亿了，大家就觉得这个人不一样了。其实，你会发现，我们每个人都愿意聆听成功者的声音，是因为很害怕自己会失败，我们对失败在文化上并不是特别宽容。

但是，创新意味着什么？创新一定意味着失败率特别高，失败是必然的，成功是偶然的。我们今天看到的成功企业，背后躺着100家跟它一样，甚至比它更努力、更优秀的公司，但是运气不好，失败了。虽然它们同样做一件创新的事情，但因为它们失败了，很多人就不看好。所以，在我们这个文化里，创新的失败率很高，到处存在这种无形的压力，这会让很多人不愿意去做真正的创新。

大企业也不能免俗，同样的文化，对失败它们同样怀有深刻的恐惧。所以，不管有什么新模式，都会让小公司先去探路、蹚雷，小公司做不成，大公司不会有什么损失。小公司一旦做成了，大公司立即跟进，这样出错的概率最小。这就是所谓"稳健的竞争策略"。

在这种情况下，大公司就像一个小孩子，因为营养很好，也可以长到1.8米，有成年人的体格和实力，但是它的心智可能还在一个七八岁的小孩水平上。他们可以振振有词地说："我抄这些小公司又不犯法，有什么错？这些小公司还不是全抄的国外的？"所以，不要指望我们行业里的大公司能像美国一样输出什么价值观。

再回到乔布斯身上，如果有人认真阅读过《乔布斯传》，反复读几遍，会发现他是极其不讨人喜欢的人，是一个苛刻的、不宽容的、怪僻的人。这个人如果成为你的同事，成为你的老板，或者生活在你身边，可能会让你觉得很痛苦。这样的种子落到中国土壤上，早在高中时代或者大学时代就被我们灭掉了。

虽然我们嘴巴上喜欢讲创新，但创新一旦出来，我们对它进行价值判断的时候，包括我在内，对少数派的不宽容，对从众心理的需求，也会有意无意地压制创新。一个人做一个新东西出来，刚起步，大家都不理解，好点的话叫他狂人，不好的话会骂他是疯子，是骗子。他一旦把原来大家骂的一件事做成了，把企业做得成百亿上千亿了，就到处有人给他树碑立传，把他捧成了神。

我们文化深层次的一个问题，我们从小受到的教育，都是从众。我们其实很在意别人的看法，如果有人特立独行、与众不同、标新立异，特别少数派，我们都不会太看好。如果你干的是人人都能看明白的事，你就会被认为是靠谱，有前途。但可惜，大家都觉得有前途的事情，往往没有前途。

在中国，你想要创新，还得承受另一种苦恼。在美国商学院，颠覆和破坏式创新是经典理论，会被创业公司奉为圭臬，但我在国内一讲颠覆和破坏式创新，大家就会潜意识里想：周鸿祎不是好东西，天天讲破坏和颠覆。在西方，小公司起来，破坏了大公司的商业模式，会被认为是天经地义的事情。数字相机出来让胶卷相机没有生意，今天智能手机让数字相机卖不动了。而法律从来不保护商业模式，法律只保护知识产权，只保护商标。

但在中国，360通过创新，破坏了大公司的商业模式，有的法庭竟然认为这是360的罪状，全球任何国家的法律从来不保护商业模式，在中国却是个例外。

谁要讲颠覆，谁要搞破坏式创新，就会被当成制造麻烦的人。到现在，很多人都觉得周鸿祎就是搅局者、捣乱者，天天吃饱了饭没事，老是跟那几个大哥打架玩儿。你为什么不顾及行业的利益?! 你为什么破坏互联网行业的和谐?! 你为什么要破坏大公司的商业模式?!

所以，我最近花了很多时间到处鼓励创新，但我觉得我们这一代人是指望不上了。我在中国互联网的丛林和烂泥里跟鳄鱼们打斗。我希望现在的媒体，包括我们的教育，能够一起努力，逐渐地改变中国文化里面对创新的价值观。如果这种价值观能够有所改变，我相信中国优秀的年轻人肯定是很多的，一定会形成美国那种创新和创业的氛围，最后中国才能出现真正的硅谷精神和乔布斯。

我希望中国内地互联网不要像今天的香港一样。香港年轻人没有什么前途，永远都是七八十岁的老家伙们给年轻人讲怎么做生意，年轻人永远没有什么机会。今天中国内地的互联网基本上还是 70 后的人唱主角，10 年前是我们这些人，那时我们 30 多岁，现在我们 40 岁了，一开会还是这批人。再过 10 年，中国互联网如果还是没有真正的创新、没有颠覆，没准儿还是一帮 50 岁的老家伙继续跟大家谈经论道。这对这些老家伙们来说是幸福的，但是对中国 80 后、90 后，甚至 00 后来说，那真的是悲剧。

容忍失败

今天，所有中国的企业家成功之后都开始吹牛，讲自己当年如何创新，如何运筹帷幄，每年大家都要听这样的企业家布道。如果大家照着别人的方法原封不动地做一遍，可能不会失败，但也不会有创新，不会大成。

创新99%是要失败的，因为创新一定是做别人没有做过的事情，在未来开出一条路，在黑暗中找到一个火种。

但我们普遍的价值观是什么呢？我们崇拜失败吗？错，我们崇尚成功，鄙夷失败。我们现在是一元价值观，谁最有钱，谁是中国首富，谁做的企业市值大，大家就崇拜他。在这样的价值观里，很多人都不敢创新，因为害怕失败。当你真正去创新的时候，很多时候缺的不是智商，也不是情商，而是胆量。

我们都请成功的企业家来演讲，媒体也总是把荣誉、报道都给那些成功的企业。但是我们是如何看待失败的？如果每个人心里都是一元的成王败寇的文化，中国的公司将永远不会去创新。

有一家公司特别喜欢抄袭，我跟他们交流说：为什么你们不做一些敢为天下先的事呢？他们老大语重心长地告诉我：有些事情看不准，让年轻人、小公司先去试。他们不成功，我们就不用再去耗费精力、金钱。他们真的能做成，证明这条路是通的，我们再上。这样我们的策略非常稳健，保证十拿九稳。这不是道德品质的问题，只是他特别害怕失败，因为中国人丢不起面子。

这就导致中国的大公司不愿意创新，小公司创新，最后的结果却是给人当了铺路石，不是先驱，却成了先烈。所以，小公司也不愿意创新。就这样大公司抄小公司的，小公司抄美国的。美国出来一个团购，中国就来个"万团大战"。

所以要创新，我们要逐渐改变已有的观念，形成一种新的价值观。我们不再盲目崇拜单一的成功，我们能宽容失败，容忍失败。

有人问我，除了乔布斯我还喜欢谁。我告诉大家，是网景的创始人马克·安德森，他投资了马克·扎克伯格的脸谱网，是扎克伯格的幕后教练。当时马克·安德森握着小马克的手骄傲地说自己是网景的创始人，马克·扎克伯格就问他网景是干什么的。他特别失落。这是 20 年前的故事，马克·安德森做了全世界第一款浏览器，但很不幸被另外一家公司摁死了。但他是我心目中永远的英雄，因为没有他就没有后来的 Chrome 浏览器，以及中国各种各样的浏览器。

　　有的企业把竞争者摁死了，大家都很崇拜。但有的企业即使不成功，也曾经创造了历史，创造了技术，改变了我们的生活，我觉得也应该被尊重、被继承，这其实就是价值观的问题。

　　我在中国互联网遭遇过最大的失败，所以我宽容失败、理解失败。如果想要创新，最重要的是敢于尝试，不嘲笑别人，勇于面对自己的失败。

硅谷创业者的启示

　　我出差去美国，去的大多数是硅谷，纽约去得很少。去硅谷一般是接触两方面的人：一是风投，一是创业者。在中国参加那些高端大气上档次的场合，比如慈善晚会、财经年会什么的，我都会觉得有些紧张、局促，因为不知道该跟大家说什么，但去国外的时候见风投，见创业者，感觉会比较好。国外的风投们跟我谈得来，因为我也是创业者，说话直接，不绕弯子，除去语言不像海归们那么流利，他们觉得我反而更像硅谷的人，从思维模式上讲是这样。

　　几个月前，我到美国接触了一些硅谷的创业公司，跟年轻的创业者聊天，我有三个强烈的感觉。第一，与众不同的精神。这些人会有形形色色的"奇怪"的想法，甚至令人匪夷所思。你会发现，他们很注重跟别人不一样。这就是创新的一个重要特征。第二，产品经理精神。我遇到的创业者都是津津乐道地跟你谈他新做的一款产品，大家都会把目标聚焦在产品上，每个人都是产品经理。第三，颠覆精神。一个毛头小伙子，十八九岁，那劲头感觉他就能改变世界，他就能干掉今天的某家大公司。

这与我们国家的互联网创业者是有区别的。老实说，我也参加了很多创业者的会，有相当多的创业者老喜欢跟你谈概念，O2O、可穿戴设备什么的。谈概念，我觉得是最乏味的，因为概念都是正确的废话。概念正确，并不意味着消费者一定要用你的产品。硅谷的产品经理精神，可能太务实，太实用主义，没有战略，但任何伟大的公司都是从做一款产品开始的。

基本上，硅谷的文化传统是产品驱动，这和我原来一直主导的产品理念是相符的。在硅谷，一般大家都不谈概念。因为我以前做过创业者——当然现在还是创业者——也做过投资人，后来发现谈概念除了自娱自乐，在行业里混点名声，其实根本影响不到用户。用户使用你的产品，只关心你做的是什么东西，能解决什么问题，根本不听你背后的理念。硅谷的创业者们会给你描述具体的产品是怎样的，以色列人也有这样的特点——解决问题，而不是空谈理念。

中国互联网是不一样的，创业者缺少一种胆量，缺少一种挑战的气魄。大家谈起来，都是在琢磨着怎么跟在大公司屁股后面分点钱，要么就是想着怎么绕道躲着走。除此之外，我觉得中国互联网创业者一是创新度不够。脑子里的想法，做出来的东西，没有那种与众不同的感觉，同质化严重。二是深度不够。我们做事，不由自主就往宽里想，好像什么都能干。但这么多创业者，你要能脱颖而出，无非是两种思路：要么是进入很新的领域，产生很新的想法；要么是在大家都知道的领域，想得比别人深，想到和别人不一样的解决方法。

有时候，我会故意问美国的创业者有没有把业务延展到中国的想法。他们一般不跟你谈这个宏大的愿景，而是会向你描述很具体的东西，在这个领域深挖下去会有什么价值。听他描述，你就知道他在这件事上经过了深入的思考，做得很专注。中国互联网创业公司经常犯的错误，是狗熊掰棒子，这个我也能做，那个我也能做，每个人都给你描绘一个特别宏大的愿景。所以，中国互联网上大部分投资项目听起来很合理、正常，没有令人惊艳的地方，不会让你惊叹说：哎呀，他怎么会这么想呢?!

我在硅谷转一圈下来，觉得特别受启发，就连我这样算是行业里干的时间比较久的，都觉得听到了很多新的思想。这种思想你可以不认同，我也有时候和他们争论，也不同意他们的一些想法，但这种思想的碰撞是非常重要的。有人说过，如果你有一个橘子，我有一个苹果，我们俩交换了之后，结果是你有一个苹果，我有一个橘子。但思想不一样，我们有两个思想，经过碰撞交流之后，我们每个人可能都有了两个思想，也可能碰撞出第三个思想，这是非常有价值的。

美国创业者做的很多事情让我觉得匪夷所思，是完全想不到的。当然，这些匪夷所思的事不一定成功，因为与众不同的事肯定是失败率很高的，但这正说明他们不怕失败。中国互联网创业者太害怕失败了，所以喜欢随大溜来寻找安全感。比如，有的创业者就说：你看，我现在做的事是大公司都在做的。拜托，如果大公司也在做你做的事，不是说明你正确，而是说明你危险。大公司更害怕失败，都是先看别人怎么走，然后再跟进。别人蹚出来眼镜的路子就跟眼镜，别人蹚出来电视的路子就跟电视，连360随身Wi-Fi这么简单的东西都要跟。

大公司有钱有势有资源，采取跟随策略还可以理解，可笑的是市场的老二老三还要采取跟随战略。360干什么，千年老二就跟着干什么，有样学样。这样学下去，更强化了千年老二的市场地位。

中国的互联网创业环境跟硅谷相比，从投资环境来说，现在已经不缺风投了，也不缺天使，创业者本身在挑战的勇气，勇于颠覆、与众不同的创新方面，跟硅谷确实还有很大的差距。

Think Different

　　什么是创新？创新一定不是小区里面跳广场舞的大妈们说："听说今天视频网站很流行，我们都在网上看电视剧了，你能不能也搞一个？"不是修自行车的大爷说："电商很好，我都在京东上购物了，你也在网上开个店吧。"创新一定是干别人没干过的事，想别人没想过的事，创新一定是少数派，正如苹果的理念所说，"think different"。

　　但是我们从小受到的教育是从众，是和大家想法一致才能得到别人的认可。大家每时每刻都在寻求标杆，如果张三李四都做了，我们心里就踏实了。有一个经典的故事，老师画一个圆，在幼儿园时大家的回答还是五花八门的，但小学二年级以后我们基本都会统一回答那是一个圆。你要说像烧饼，老师会用异样的眼光看你。到中学的时候，所有人回答的都是标准答案，中心思想。

　　如果我们不能追求一种价值观的多元，不能容忍think different的想法，当与众不同的想法没人赞同时，你会很胆怯，不敢去尝试，很难在这样的文化氛围下真正创新。真正创新的人都不会一开始就有鲜花和掌声。相反，他们往往会被看成异类、少数派、怪物，甚至会被看成麻烦制造者。他们说的话不被人理解，做的事不被人理解，但最后他获得世俗的成功，改变了世界，这才是创新的英雄。

当别人成功的时候，你不能看他的结果，说要模仿他，而是要注意他曾经被多少人不理解。10 年前，马云说他看好电子商务，所有人都认为他是忽悠。10 年之后，每个人都离不开电商。当你今天的想法得不到认同，所有人嘲笑你的时候，你会选择放弃，还是坚持、不断尝试？

Think different，我理解就是跟别人逆着来。特别我们面对强手的时候，一定要不按照他的节拍跳舞，按照他的节拍跳舞就死定了。你要想办法通过这种体验和商业模式去创造一种新的游戏规则。

360 能够走到今天，可能因为我比较"二"，所以我们做了很多惊世骇俗的事情。我希望通过更多人的共同努力，改变今天中国社会这种一元化的价值观。只有越来越多的人可以宽容地对待不同的想法，才能鼓励创新的人，给他们更多的理解和支持，他们才能勇于创世，屡战屡败，但屡败屡战。因为创新成功的故事背后有 100 个不成功的例子，所以中国如果需要真正的创新，价值观是最重要的。

战略必须落地到产品

在公司内部，我反对做评论家，创业者首先不要做评论家。评论家站在高端，谈产业问题，谈格局，这其实没有意义。很多问题抽象之后，说的都是正确的废话。不管是大企业还是小企业，当面临挑战，面临转型的时候，需要放弃概念上的论证，放弃平台思维，放弃下很大一盘棋的想法，应该将眼光聚焦在用户身上。具体一点，就是静下心来想一想，我要做的东西，或者我已经做的东西，它的用户是什么人？用户在使用我产品的时候，会遇到什么问题？有哪些地方我做得不够好，还可以做得更好？凡是有缺陷的地方，都有改善的空间，都代表着创新的机会，都代表着可能存在市场机会。因为战略不管规划得如何宏大，最终要落地，就需要打开市场，而要打开市场，最重要的是打动用户的心。这是一个很关键的切入点，这个切入点找不到，所有的战略都是空气。

当面临苹果公司挑战的时候，N公司做了很宏大的规划，花了60多亿美元买了一家做地图的公司，买了互联网的公司，构建了很宏伟的格局。到今天他们跟微软公司合作，也有很宏伟的格局。我一直用N公司的产品，但我认为N公司从来没有从用户的角度，从产品的角度去想一想，现在用户用这些手机的时候到底遇到了什么困难。我认为他们高管也不用苹果公司的手机，所以不知道苹果手机到底为什么赢得了用户的喜爱。

你真的觉得苹果公司成功是因为在宏观战略上规划得好吗？我不谈战略，也不懂战略，我认为苹果公司也没有战略。如果说有战略的话，所有战略都是用户战略和产品战略，即不断发现用户的需求，不断满足用户需求，把产品做到极致。

消费者是不理性的，消费者选择一款产品，抛弃一款产品，不是因为你有好的技术，或者不好的技术，用户都是从点点滴滴中感受。为什么我讲微创新？我说的"微"，对于消费者来说，感觉都是微小的点。消费者之所以用你的产品，可能就因为那一个很小的点。消费者不理智，是特别感性的。今天的消费者比以前更感性，产品最后不是拼功能，拼技术，而是拼体验。苹果公司没有手机通信的核心专利，什么CDMA（码分多址，一种无线通信技术），什么芯片之类，都没有，有的都是外观专利。但是苹果公司席卷了整个无线互联网终端，以往的大公司被打得落花流水。如果说互联网是一场革命的话，对于企业意味着什么？从我的角度来看，这就是互联网消费者拥有更多的知情权和选择权，互联网让信息更加对称。

用户体验，过去被理解为产品的交互，产品的外观和包装。错了，今天用户体验可能会成为产品制胜的关键。这并不是说企业不要做战略规划，而是说企业做到一定规模，做战略规划的时候，一定得具体到产品。战略不能待在云端，一定要落地，具体到怎么解决用户的问题。这是非常重要的产品观。

互联网产品秘籍

在互联网领域创业的人越来越多，但究竟怎样才能打造出一种成功的互联网产品，一直存在着理解的误区，也困扰着很多创业者。

根据我个人多年的实践，互联网产品有几个容易被忽视的特点。第一，互联网产品要有一个灵魂，要符合相关领域的游戏规则，能打动用户的心。如果这一点没做好，产品外观做得再华丽、界面再漂亮、后台再强大，也很难成功。打动用户的心，这好像是废话，但也最质朴。很多产品其实不是在真正满足用户需求，而是在发明或幻想用户需求，甚至逆着用户需求在做。像国内很多社交网站都模仿脸谱网，尽管很像，但都不太成功。而开心网摸对了用户的脉，中国互联网用户上社交网站实际是以开心、娱乐为主旨，简单、容易上手、好玩的小游戏就打动了用户。

第二，互联网产品需要不断运营、持续打磨。好产品是运营出来的，不是开发出来的。而传统的软硬件产品都有个物化的载体，不可能经常改，比较稳定。互联网产品的本质是服务，就是通过某种形式的桥梁和窗口把服务传递给用户，由于用户的需求不断在变，产品就要随时调整。早些年微软的视窗 XP 系统比较成功，因为在传统软件时代，用户需求不多，厂商很容易了解；到了互联网时代，闭门造车出来的 Vista 系统就不可避免地失败，用户需求变化太快了，厂商对此没有把握。

像谷歌所有的产品，每过一段时间都会有小的改变，这是做互联网产品的思路。产品一定是让人去用的，要不断根据用户反馈去修正。现在很多人都在讲"以用户和市场为中心"，但实际上还是"以公司为中心"。我曾经看过一家大公司的内部报告，说要做一款即时通信产品打败腾讯，说可以为自身带来什么价值，可以整合内部产品等，但从头到尾没有涉及能为用户创造何种价值。这种出发点必然导致失败的结局。

我认为自己做客户端的资历比马化腾要深，但如果真的做一款即时通信产品，在产品细节和技术上可能比他做得好，但很难比他成功。我们俩的背景不一样，我做传统软件出身，而腾讯的创业团队是从做传呼的润迅出来的，之前就在做服务，这一点给了马化腾很大的帮助。这是一个分水岭，马化腾很早就掌握了互联网产品的规律，把它当成服务来做，持续改进。

无论你的想法高明与否，我认为都不如用户的选择高明。有了任何想法，不要奢望做到完美再推向市场，不如先简单地做出一点点，就拿到市场上试，一旦对了就迅速跟进，一旦不对调整的成本也很低。腾讯今天非常成功，它的商业模式难道是马化腾一天想出来的吗？肯定不是，最初就是一个简单的聊天工具，打动了用户的交友需求。

从前面两点可以推出第三个特点，大家都说产品要做到专注和极致。在产品方向上，一定要先学会做减法，而不是做加法。要先找对一个点做到极致，否则你什么功能都做，最后都不突出，没有鲜明的卖点。

好的产品：让用户离不开

我总是在说要做好的产品，所以不断有人问我：究竟什么是好的产品？怎么做好的产品？在这里有一个衡量标准，就是让用户离不开你。

"离不开"不是"卸不掉"，不是"找不着"，而是用户产生一种没你不行，你不会轻易被替代的依赖感，这就是所谓的用户"黏性"。而带来这种依赖感的就是好的用户体验。

要有好的用户体验，要首先找到用户的点。用户就像鱼，好的产品就像水，要养鱼先养水。但是养海水还是养淡水，还得看鱼的需要。

360所有产品的改进，都不是在屋里想出来的，都是从用户的抱怨中来的。有用户向我们投诉："我用你们浏览器怎么不支持网银？"我们一看，没装网银插件。我们告诉用户"装网银插件去"，这样问题不就解决了吗？小白用户自己都不知道怎么弄，上不同的银行，要装七八个软件和驱动。要安装先下载，安装完了还要重启，十分麻烦。安装失败了，用户不知道，他就归咎于你的浏览器太烂。

用户不明白的地方，就是我们微创新的机会。我们跟银行签好协议，让浏览器自动在后台安装。这个体验就非常顺畅，用户在我们浏览器上用网银就跟没感觉一样。如果用户习惯了直接登录网银，那么他再一步步地下载安装还会习惯吗？用户自然而然地就会留下，黏性就是这样产生的。

大部分人上网都要用到网银，浏览器的改进恰恰找到了这个点。这个点可能很微小，但是会在某个方面形成压强，形成一个刺激，是用户真正的需要，让他深有体会。

怎样才能找到用户的需要？我经常说，一线的客服、运营员工才是创新的动力。只有不断地接触用户，不放过每一个小抱怨，才能找到真正的点。企业最容易犯的错误，就是轻视用户的困扰，一撇嘴，说"这就一小破事儿"。对企业来说是小破事儿，但对用户来说就是天大的事儿。这种所谓破事儿不解决，积累多了，企业就会自以为是、蔑视用户的产品，用户就会一边用一边骂，一边期盼替代品。

在寻找用户点的时候，我们要抛弃一个专业人士的思维方式，把自己当成一个小白用户，否则你永远不知道用户真正需要什么。当年我们做开机小助手的时候，也曾被专业人士鄙视为白痴功能，但是对于一窍不通的小白用户，电脑慢就是他们亟待解决的问题。

找到用户的需要，下一步就要把这个点做到极致，给他好的体验。如果这个体验能够从微观入手，超出用户预期，你很容易就能做出好的东西。

如果你够细心，就会看到不少行业都有做得不好之处，若能改善，就是一个竞争机会。但很多厂商认为已经做得很好了，可他们不知道顾客可能是在忍受你的产品。如果竞争者加以改善，那就会带来口碑。互联网时代，如果产品真的很好，口碑就会飞快传播，市场格局会加速从量变到质变。今天大家离不开苹果，离不开谷歌。用户想到的，你帮他做到，甚至用户没有想到的，你也帮他想到了。按这个思路走下去，总有一天用户也离不开你的产品。

为什么每次新浪微博的改版都能引起社会话题？为什么前不久微信断网引起轩然大波？因为好的产品会像年轻人谈恋爱一样，"离不开、舍不得、放不下"。在这个基础上，你才有机会让他们"爱屋及乌"，再给用户推荐一款赚钱的产品，合理合法地从用户那里赚到钱。如果你推荐的产品照样让用户喜欢，就会形成一个良性的循环。

一些企业的老板天天在屋里讨论怎么在用户和赚钱中找到平衡，这就是一个很好的解决方案。所以公司做什么事永远要先考虑用户体验，先"放水养鱼"。

好的体验需要处处留心

很多人觉得在公司工作的时候，在开产品讨论会的时候才叫改善用户体验，下了班或者其他时候，这事就跟自己没关系了。这种人很难做出优秀的产品。产品体验无处不在，任何事情可能都是产品体验。

比如坐航空公司的飞机，整个登机过程、机场安检的流程，都是用户体验。或者你不幸摔伤了腿，拄着拐杖去医院。虽然医院设备现代化了，但是传统医院的流程却一成不变。你永远不知道先到哪儿划价，然后再去交费、拍片子，让你拄着拐杖楼上楼下跑很多个来回。这种用户体验就很糟糕。

在著名的北京西直门的桥上，所有司机都觉得像走入了丛林一样会迷路。中国的路牌总是等你看清楚以后，才发现你上错了道路。而美国的路牌在还有一定距离的时候就提醒你了。

在日常生活中这种体验无处不在，如果你能够处处留心，把自己当成一个抱怨的用户之后，可以再上升一个层次，在抱怨的地方想想如何去改善用户体验。

你可以把这看成一种头脑体操：如果我是道路设计师，如果我来设计医院，如果我来设计遥控器、手机，我应该怎么做？这个思考的过程，就是一个提升自己对体验的感觉的过程。

大家在日常生活中，在不熟悉的领域认真发掘，就会发现处处留心皆体验。这是发现用户感受、培养用户心理的一个非常好的机会。

从更广义的角度说，我把产品体验的概念定义到日常生活中。比如公司的电梯设置，所有人都感觉很慢，那怎么办？已经不能再增加电梯了，也不能换成高速的。最后，一个产品经理解决了这个问题，在等电梯的位置放置了几面镜子，女同事等电梯的时候可以顺道梳妆一下，男同事可以通过镜子偷看一下女生，消除等待过程中心理上的焦虑。

其实360产品解决的很多用户需求真的不是我在屋里闭门造车、灵光一闪、运筹帷幄出来的，而是在无数的案例中、实践中细心观察、不断总结出来的。我们都有自己的局限，即使我已经很有经验了，如果不是让我看到真实的用户，自己对着电脑坐上三天，也意识不到自己的问题。

要做出好的产品，并不是只靠看几本书，听听我的演讲，看看张小龙的幻灯片，如果那样做产品这个世界就简单了。过去一个好的诗人，不是天天在屋里看《唐诗三百首》就能写出伟大的诗篇。他要有赤子之心，有胸怀，到处采风，游历名山大川，和朋友喝酒，像李白一样，才能有这种灵感。所以很多产品的灵感也是来自产品之外。据说苹果设计师到苹果之前，设计得最酷的产品是马桶，很多人觉得很奇怪，怎么设计苹果的人是一个设计马桶的人？实际上你们不觉得二者在白色上能给人共同的灵感吗？

做产品需要"现场力"

现在的产品经理，如果有几年的工作经历，我发现会有一个现象，就是"不讲人话"。比如我们的某款产品有个功能，名字叫作"让照片飞起来"。我问产品经理这是什么东西，他说就是可以把手机的照片传到电脑上。我问：为什么就不能直接说呢？为什么还得让用户再琢磨一下呢？

我的观点是，不论产品名称还是功能名称，最好的就是一目了然，让人一眼能看明白到底解决了什么问题，不用动脑子。

每个人都有一种思维定式，以为自己懂的人人都懂，自己会的人人都会。但事实并不是这样的。我有一次参加一个会，旁边有位女士打开笔记本电脑，桌面是 360 安全桌面。我一看她用的是 360 的产品，就问她有啥问题需要我帮忙的。她回答说电脑桌面上文件太多，找起来麻烦。我说，360 安全桌面就有"桌面整理"这个功能啊。我在她电脑上一点，360 安全桌面把她桌面上的文件分类得井井有条。她很惊讶，我就问她：您从来就没点击过这个？她说，因为不熟悉，所以从来不点击。

产品经理可能觉得很奇怪：不对呀，人都是好奇的，按理说出现个新按钮啥的，都要去点击看一下的。人都有很强的自我意识，看问题都是从个人的角度出发，都是带有个人情绪的。你喜不喜欢一个东西，都是你自己的好恶情绪在起作用。但是，你喜欢不代表用户喜欢，你的需求不代表用户的需求。

所以，我建议要学会摆脱本位主义，少从个人角度思考，多站在用户的角度看问题。

今天360推出了随身Wi-Fi，有不少技术达人说：这算什么，笔记本电脑上一设置不就行了吗？其实你只要往周围一看，经常用笔记本电脑办公的公司白领，对于一些基本的网络设置都很生疏，更别说设置Wi-Fi共享了。再想一想那些只拿电脑玩儿游戏、看电影的一般用户。产品经理该犯的错我都犯过了，我曾经很固执，但我也善于总结，同时靠自己的悟性，屡败屡战。

日本企业，像丰田这样的公司，奉行"现场力"的文化。我觉得做互联网企业一定要有现场力，产品经理要有"柔性的头脑"和"坚强的腿脚"，要接触用户，在第一线才能保持手感和接地气。接地气的一个方法，就是多从生活中的真实案例出发，时刻关注产品的用户体验。

我们的生活中随时都可能遇到不愉快的用户体验，在没有方法突破的时候，能不能想方设法进行微小改进让用户更满意？比如，有些产品说明书写得跟天书一样，用户得先对说明书进行研究，研究了也不一定能懂怎么操作，不得不打电话找厂商的客服。那你能想到哪些方法来改进？

强需求与弱需求

当你做一款新的产品，或者开发一个新的领域时，你首先要问自己有没有找到用户的那个需求点，这个东西对用户是"可以有"，还是"必须有"。这就是强需求和弱需求。

如果是弱需求，产品将来推广起来非常难；如果是强需求，是用户拦不住的需求，这个需求就会很容易成功。

有几种东西的吸引力很大，可以说是强需求。一种是看电影，特别是爱情动作片，对男性朋友来说绝对是强需求。网上有很多不法分子把木马伪装成爱情动作片，强需求的用户还是忍不住点击下载。360会立即警告你：有病毒！不能下！但这些用户会听360的吗？他们直接把360给关掉。这就是典型的强需求。后来，我们开发了"看片保护"模式，保证用户既可以看片又不中毒。

像QQ，是即时通信工具，没有了QQ就没法聊天，跟朋友们失去了联系。像搜索，没有了搜索，什么都找不到，世界一片空白。这都是强需求。安全也是一种强需求。没有安全，你每天上网就会很难受，你电脑上会有那么多流氓插件，那么多弹窗广告，首页就会被人劫持，或者电脑很慢。这些都是强需求。

但还有很多需求，如果没有我生活中根本不少什么，如果你给我装上了，我也会用。更多的产品是这种弱需求，拉动力非常有限。弱需求如果靠自然增长，增长速度一定会非常慢。

强需求产品可以自我发展成强大的渠道，而弱需求产品独立做很难，必须有一个强大的渠道。比如腾讯的新闻门户，如果没有强大的客户端把它拉起来，如果不弹新闻窗，流量上不一定能超过新浪。这就是说，有时候弱需求的产品，并不是说不是好产品，而是对渠道的依赖比较大。

这也是我反复解释的，很多模式腾讯做能做成功，创业者做就做不成功。方兴东方博士是博客之父，他第一个把博客带到中国，"博客"这个名字是他给起的。但他的博客中国，无论是从流量还是从盈利上，都无法和QQ空间相比。

能满足强需求，一款产品才会有用户。有用户，用户不断地提要求，产品不断地改进用户体验，最后才能成功。如果我们只是玩命地打造界面，调整颜色，最后产品还是不成功，为什么？因为我们没有抓住用户本质的东西，即强烈的需求。所有离开用户需求的用户体验改进都是耍流氓。

在中国，腾讯等最成功的互联网公司刚开始做的产品你可能感觉一点都不酷，认为不如谷歌，不如脸谱网。但它们货真价实，真正了解中国这些最小白的用户的需求，而且成功地把握住了他们的需求，也满足了他们的需求，所以，成功了。成功以后，它们有资金，有流量，可以慢慢地做一些更酷的产品，也可以慢慢地改善不足。

像小白一样思考

我们平时经常说"我认为"、"我觉得",因为每个人都是从个人的角度出发,都带有个人情绪,喜欢一样东西有个人的好恶在里面。但是,你也要注意,在做产品的时候,你喜欢不代表用户喜欢,你的需求不代表用户的需求,所以你真的需要从用户的角度出发。

无论是马化腾、张小龙,都说要像小白一样思考。这说起来容易,但是做起来很难。有时候我们公司的高管也会一不注意就陷入个人角度,大家为了一个方案争得不可开交。

我也曾经犯过这样的错误。有一件事我印象很深刻,1992年的时候我做了一款产品,想当然地做了一款加密的电子邮件。到今天这功能也没能流行起来,因为解密起来非常费劲,普通用户又不是要贩毒,根本不需要这种加密功能。所以我做了很多失败的产品,产品经理该犯的错我都犯过了。从1990年到现在,我是靠漫长的积累过来的。

行业专家容易有行业误区，因为在这个行业里太熟悉了，审美疲劳了，已经形成惯性思维。但如果你是一个小白用户，没有耐心，很暴躁，好像在餐馆吃饭时在菜里发现苍蝇，你恨不得马上跳起来。而行业里，用户用你的产品出错了，你会很不以为然：这有什么大不了的，不就程序出错了吗，你再重装一遍不就得了。

大家买车的时候对车不了解，就会听着推销员天花乱坠，你可能就不关心这部车的某个螺丝是怎么做的，可是到自己做产品的时候，你巴不得把你的技术细节都展现给用户，也不管用户懂不懂。

很多人买家电，真正懂家电的技术吗？很多人掏钱买，是因为家电长得好看，或者现场推销员一顿天花乱坠的推销。电视机一定有看照片的功能，但你是否把SD卡（存储卡）往里插了呢？你如果插了一次，就会知道这个功能不是给人设计的。

我有时候会说，很多功能做得像找抽型。说你没做吧，你做了，说你做了吧，用户用起来很难用。但是在你自己的领域里，产品都是你做的，你知道细节，你知道流程，你绝对不会骂，你会觉得自己的产品做得多好，但用户却不会用。难道我们要再出一本书"21天学会使用什么"吗？难道要靠办培训再产生一个产业吗？

今天在公司，可能我是最容易进入小白模式的人，因为我经常刷微博看别人怎么骂我们的产品。当别人骂你的时候，你看看他说得有没有道理，微博上有很多水军是一眼能够看出来的，但很多人的评论还是有帮助的。

大多数人听不进去难听的话，但用户吐槽的过程却是你真正和用户打交道的时候，这时你会发现很有用的东西。

我们曾经出了一个乌龙事件，我们的产品做了一个"查找大文件"功能，帮助你的电脑查出占空间的大文件，然后删除。很不幸，这个功能一发布，很多浏览器用户就投诉说，浏览器崩溃了，因为他们把浏览器文件删掉了。在公司内部，在我们测试的时候，谁也出不了这样的事，因为做这个功能的人绝对不会把浏览器文件删掉，他知道这个文件不能删除。但这个知道是默认的，因为你是360的人。而用户查出来，发现这个文件很大的时候，他不会去删吗？

所以我很关注用户骂我们的问题，有一段时间我们一开会就先讨论这些，事实证明这是最有效的。因为你能从用户的吐槽中看到产品最真实的问题，而且还能够了解用户的心理，甚至能够把很多用户隐含的需求挖掘出来。

但有太多做产品的人有三个假设：第一是假设某个功能用户一定需要；第二是假设用户一定知道某个功能的存在；第三是假设用户一定会按照自己设计的方式使用。比如有一家公司找我来谈合作，说做了一个软件，功能是类似到邻居家串门，看到邻居的鞋很好看，一拍就可以在网上买了。我说不用那么麻烦，直接问他在哪儿买的不就可以了，所以这样的产品连第一关都过不了。

了解用户需求没有其他的方法，就是天天和用户打交道，和用户打交道多了，就会慢慢理解小白用户的想法。

做产品要有一颗粗糙的心

做产品确实是一件很辛苦的事情，没有上来就能做出完美产品的产品经理。我已经做了这么多年，但近两年无线互联网开始流行起来的时候，我发现自己又落伍了。我又开始观察我周围的人怎么用手机，我就是通过这样的方法学习的。没有比这更快的方法，这就和练武功一样，不可能取巧。很多人认为，我第一款产品做得很成功，那第二款产品应该更省力，是这样吗？其实做产品和生孩子是一个道理，第一个孩子需要怀胎 10 月，第二个依然需要 10 个月的时间。

用户永远是对的，我们不能对用户发脾气，所以做产品必定是个痛苦的过程，有的时候甚至需要放下你的自尊。比尔·盖茨曾经说过，初出茅庐的时候你要自尊干什么？那自尊是假的，当你做出真正的好产品的时候，当你成功的时候，大家都会尊重你。放下身段，倾听用户的需求，甚至倾听用户的羞辱，当年我们都是这么过来的。

就是脸皮要厚，不要怕人骂，最好的产品是优美的，是优雅的，能解决用户的问题，但是一定不完美。苹果的产品还有很多缺点，但是有一点或者几点能够对用户形成强大的诱惑，能够让用户感动，这就够了。所以，没有缺点的产品是不存在的。很多设计师做事要求完美；我做产品要求做到极致，而不是完美，完美是不可能的。所以，要有这种开放的胸怀，能够听到别人骂。

有时候竞争对手会雇水军来骂我，虽然很难听，但我会咬着牙跟团队说想想产品有什么改进的，让他们骂不出。很多设计师出身的产品经理有一颗玻璃心，被老板一批评就蔫了，被同行一挑战就说"我不跟你讨论了，你不懂"。

我觉得做一个好的产品经理，要对产品的结果负责，心要粗糙一点，要迟钝一点，不要管别人怎么说，要能够经受这种失败，因为好的产品，是经过不断失败、不断打磨才出来的。好的体验绝对不会一次到位，要不断地一点一滴地去改进。

我们今天谈论苹果时，谈论成功公司的产品时，一定不要照着今天的成功去模仿，一定看它刚起步的时候产品的原型多么粗糙。读读《乔布斯传》，看看苹果的真实历史，就能知道第一代iPod有多粗糙，就能了解第一代苹果手机跟摩托罗拉合作不成功的例子。

所以每一款产品最后能成功，都不是一招制敌，更不是一炮而红，而是至少经过了三年五年不断的打磨、不断的失败、不断的尝试。产品经理没有坚韧不拔的心态很难成功。做产品从某种角度来说，就是做艺术品。但是从另外的角度来说，因为艺术品是给少数人看的，可以孤芳自赏，而产品最终要获得商业上的成功，它再是艺术品，也要获得大众的认同。所以，我们需要做很多跟大众沟通、跟传统市场抗争、跟竞争对手竞争的事。

很多产品经理很不屑干这种事，很难忍受来自市场的各种用户建议、正常的反馈、恶毒的攻击，因为他们没有一颗粗糙的心。所以，要做到没心没肺。有时候我觉得自己也是没心没肺的，别人骂我多了，我也就习惯了。

360 如何做产品？

互联网技术瞬息万变。对于很多传统企业来说，拥抱互联网就是花钱买技术，不外乎云计算、大数据、社交网络、移动终端这些概念。但正所谓"功夫在诗外"，技术革新都是基于用户体验，所有的高深技术，都应该隐藏在良好的用户体验之下。

拿"云计算"来做个例子。现在在互联网上，"云计算"这个概念被炒得很热，每隔几年IT行业都要炒出一个新概念。说白了，云计算就是把原来需要在每个人电脑上处理的很多功能放到服务器端去处理，而客户机更多地只起到显示和交互的作用，比如中国移动的"139邮箱"就是一种典型的云计算。我可以用Outlook邮箱把邮件下载到本机处理，而我要是换一台电脑就不能共享数据了；而且Outlook有很强的文字处理能力，而手机的文字处理能力却非常弱。所以如果我收发邮件、编辑邮件的时候，这些编辑的信息都储存在服务器端，那么我不论走到哪里，用不同的终端都可以访问到我的数据。

我觉得在未来，云计算一定会给网民带来很大的意义。

第一，在客户端这边，个人电脑不用再那么庞大了。现在虽然很多软件变得越来越复杂，但云计算把这些复杂的东西放在服务器。过去每个人背一台笔记本，就像背一个小发电机，要使用的时候还要自己发电。云计算就有点像把发电的功能集中到IDC（互联网数据中心）去了，由IDC统一发电，然后再把电输送给用户。用户无论是在线编辑图片还是在线编辑文档，全都可以在远程服务器上完成。

第二，云计算还有一个特点是分享和数据的统一。用户所有的数据都储存在中央服务器上，所以无论在什么地方，只要能联得上网，无论用手机，还是用电脑或是用什么终端，用户都可以访问这些数据；而且如果用户愿意跟别人分享数据，因为不同用户间的数据都在同一个服务器上，那就会变得很方便和快捷。

这是一个听起来很高大上的概念，但是我们需要把它灌输给用户吗？我们是要让用户"不明觉厉"吗？我认为是不需要的，我们要的是实实在在的感知。在这个概念的引领下，我们也开发出了相应的产品——360云盘。所以我只需要告诉用户，你把你的文件、照片保存到云盘上，无论是在手机上阅读，还是发邮件，都可以随时随地获取内容。

但云计算的意义并不仅限于此。

传统的杀毒软件有两个重要的问题到现在还无法解决：第一个是杀毒

软件的病毒库越来越大，让用户的电脑越来越慢；第二个是病毒库的更新时间问题。

　　杀毒软件一定要把病毒和木马的特征搜集到一个黑名单里——这个黑名单实际上就是病毒库——才能查杀病毒和木马。随着病毒和木马不断地变种，这个黑名单越来越长，长到里面有几千万、上亿种；病毒库越来越大，每款杀毒软件都要在用户的电脑里装几十兆甚至上百兆的病毒库。如果把病毒库放在电脑的内存里，那么用户每操作一个文件，都要去跟病毒库做对比，这样用户的机器就会变得越来越慢，内存也会变得越来越小，所以现在很多人装了杀毒软件之后的第一个感觉就是机器跑不动了。

　　甚至有些人鼓励用户装多套杀毒软件，稍微有点技术知识的人都会知道，在任何一台电脑上装两套以上的杀毒软件，如果把软件的保护开关都打开，这台电脑肯定是跑不动的。所有的杀毒软件都要装入庞大的病毒库，都要在系统底层设立检查的关口，这个检查一定要做，但是检查多了，再加上重复检查，就会把机器搞得很慢。

　　所以，如何在保障用户安全的情况下使用户电脑运行流畅成为亟待解决的问题。这是用户的痛点，是用户的需求所在，一旦改善，将产生重要的用户体验。

　　在云计算的思路下，360做了"云安全"、"云查杀"。所谓"云安全"，就相当于这个黑名单不再放在本地了，我们把它放在服务器端。服务器的存储能力很强，将来即使是一个拥有几十亿个病毒特征的黑名单都可以存得下。把病毒库放在服务器端，用户机器里的东西就很少，而如果要把它下载到用户本地的电脑，那用户就什么都没法干了。过去我们要占用用户大量的时间去做扫描，每个文件都要做对比；而现在我们对每个运行的文件只需提取一个很小的"指纹"，虽然这个运行的文件可能很大，但这个指纹可以很小。我们只要收集一个指纹，然后把指纹发回服务器，跟服务器里存的那些指纹数据做对比，就可以了。这中间唯一的"成本"就是网络传输，但事实上传输的量是很小的。整个对比的过程从用户的电脑搬到了服务器上，服务器可以快速完成对比，然后告诉用户文件是不是有问题。所以，"云安全"首先解决了黑名单庞大导致杀毒软件拖慢用户电脑的问题。

其次，"云安全"更新更快。过去，病毒库每增加一个新病毒，都要更新用户电脑里的杀毒软件才能生效，但很多用户装了杀毒软件实际上是不更新的。这就跟吃了过期的药一样，不仅不能收到安全的效果，反而可能会有副作用。但是用"云"就不一样了，云只要一更新，用户马上就可以得到第一手的数据。用户装在本地的杀毒软件的思路是根据黑名单做比对，所以解决不了未知病毒和木马的问题。比如我今天把一个病毒加到黑名单里了，如果这个病毒"化个装"，我的黑名单可能就识别不出来了，而木马"化装"其实非常容易，网上称它"免杀"或者"加花"，就是加一些花头，加一些花指令，让病毒能够不被杀毒软件认出来。这就形成了一个悖论，尽管用户的电脑里装了杀毒软件，但还是有不能杀掉的新病毒。

这意味着用户防不住病毒，因为很多新病毒在用户的黑名单里根本没有，所以根本杀不出来。

那云计算的解决办法是什么呢？我们现在可以在服务器端建立一个庞大的白名单，也就是说，可以知道用户机器里哪些软件是好的。过去建立白名单简直是不可想象的，因为好的软件实在太多了，如果把一个白名单带到用户电脑里去做对比，就更不可能了，所以只能用云计算的方式放在服务器端。一个病毒来回变种，它甚至可能从云端的黑名单里跳出来，病毒库也查不出来它是病毒，但是用户电脑里装的软件中常见的就那么多，只要把这些常见的软件跟白名单对比一下，就能发现这个软件有没有被病毒感染，基本上也就能够把感染病毒的软件甄别出来了，最后对那些可能有威胁的软件的行为做一些监控，很快就能发现这个软件是不是"坏软件"了。

我们利用云计算的原理，把对文件好坏的甄别都放在服务器端，这样充分利用服务器；而且我们还能追加投入更多的服务器，让服务器的侦测能力随时扩张，处理能力也更强。使用这种云计算，网民在电脑里只需要装一个很小的客户端。客户端只要发现新的威胁，就会与服务器通信，根据服务器的指令把这个文件隔离，直接能判断它是病毒，或者确认它是安全的。

云计算当然也有一个缺点，就是一定要用户能联网。但是从目前的趋势来看，特别是从运营商的角度来看，计算机基本上都是使用宽带的，而且还是常联状态的；更何况现在的木马也是从网上传播的，而木马也是需要从网上得到各种指令才能去干坏事。所以我们的判断是：第一，绝大多数电脑都会联网；第二，我们现在是用"双核"的做法，就是说除了用"云"，我们也会有一个最经典的、包含本地最活跃的几万种病毒的病毒库，使得在断网的时候，我们在本地也能做查杀。这样还有一个好处，就是当用户联上网络的时候，他就能用两个引擎来解决问题了。

　　我告诉大家的这些技术原理，在 360 的产品中都是找不到的。这些体现在用户电脑上，就是安全卫士的一键查杀与扫描，上网过程的风险提醒。我们很少告诉用户，我们创新的云查杀使用了基于黑白名单的技术。我们只需要让用户感知，用 360 上网，够安全，速度够快，体验很爽就足够了。所以，好的技术创新都是基于用户体验的需要。

如何建立一个"铁打的营盘"？

中国有句古话，叫作"铁打的营盘流水的兵"。

我相信，当团队里有人离开的时候，肯定有不少领导者拿这句话来安慰自己。但我觉得这句话有误导，因为他把营盘（公司）和兵（员工）的关系完全视为单纯的雇佣关系。对于创业团队来讲，如果每个员工都把自己做的事情仅仅当作一份工作，当作一种养家糊口、解决财务问题的工具，那么这个营盘绝对不会是铁打的，而是纸糊的，稍有风吹草动，就会坍塌。

从另一个角度来看，一个公司最宝贵的资产不是理念，更不是宏大的规划。创业就是一场马拉松式的接力赛，是一个长期、艰苦的过程，没个七八年达不到目标；同时又要求你必须以百米冲刺的速度去竞争。这一切都需要优秀的创业团队来执行，前赴后继，改变世界的精神不变，捆绑个人利益与企业利益的激励机制永在。所以，营盘是铁打的还是纸糊的，归根结底在于是不是有一支优秀的团队。

建设一支优秀的团队，是整个创业过程中都必须面对的问题。如何建立一支优秀团队，仁者见仁，智者见智，但我认为万变不离其宗，关键是把握三个要点。

第一，不能以发财为目标，一定要有某种程度的理想主义情怀。我在互联网行业里干了十多年，从来没有看到一个为了解决财务问题而凑在一起的团队能够最终走向成功的。相反，这样的团队一旦遭遇挫折，就容易悲观失望；或者一旦外面有更大的现实利益诱惑，团队容易分崩离析。前不久，我找人力资源的人帮我统计了一下，看一看跟我合作在 10 年以上、8 年以上、5 年以上的到底有哪些同事。在这一批人里，有我第一次创业时就跟着我一起打拼的；有的在方正时是同事，后来我做 3721 的时候加入进来；还有的是加入到我在雅虎时的团队，中间离开几年，后来又加入到 360 来的。看了这个名单，我很感慨，如果那时候我跟他们说，出来跟我干吧，到时候发财了咱们大碗喝酒，大口吃肉，大秤分金，我估计他们也不会跟我合作这么长时间。相反，我们的目标是要做出牛的互联网产品来，让人们的互联网生活更方便、更安全，有了这个目标，大家才能持之以恒地走下去。

第二，财散人聚，要有激励机制，把大家的利益捆绑在一起。建团队，我不希望我的员工单纯是奔着钱来的，因为这样投机分子太多。但是我一定要替员工考虑财务问题。在今天这样一个社会，谁都不能免俗。就算是一个理想主义者，也总要养家糊口，要在社会上过一种体面的、有尊严的生活。而且，创业是一件耗人健康、燃烧青春的事。对于这些愿意跟着企业打拼的人，不能光在嘴巴上跟他们说好，而是要签协议，让这些燃烧青春的人也能一起分享未来的收益。否则，财聚人散，也没什么未来了。正因为这样，360从一开始就做了员工持股计划，最初员工持股比例达到40%，最后几轮稀释后在上市前降低到22%。这个比例在今天互联网公司中算是最高的了。我觉得，用西方证明有效的股权期权制度，可以把团队的利益和公司的利益捆绑在一起。这些做好了，讲理想主义才好讲，做思想工作才好做。

第三，解决新老交替的问题，留一部分利益给未来。企业在成长过程中，走弯路、遭遇挫折，那是肯定的。这个时候，会有团队成员因为不认同未来发展方向，或者因为有更大的现实利益诱惑而离开。同样，不同的阶段需要不同的人才，需不同的专业技能，只有新人不断进来，企业才有未来。我从来没有见到过一个团队一成不变地走向成功，即使桃园三结义的刘关张，打天下还得需要赵云、黄忠、诸葛亮。新老交替，最好的解决方式，我认为还是通过激励制度。比如，在360里面，老员工技术能力强，做事风格踏实，不骄不躁，是新人的榜样。他们不是管理层，走的是技术专家路线，也受新人的尊重。对新人来说，他们也不是单纯的打工者。按照常青树计划，360每年都会维持总股本5%的比例，为有突出贡献的员工发放期权。维持5%的比例，就意味着需要稀释其他投资人的比例。但我对投资人说：设计这样一个蓄水池，就在于吸收人才，把新人的利益与企业的未来紧紧捆绑在一起，这样大家做事才会有积极性。这种积极性产生出来的价值，要远远大于被稀释掉的价值。投资人都是熟悉互联网这个行业的明白人，没几句话就同意了。这就是我说的"留一部分利益给未来"。

马斯洛说过，人的需求分层次，不同阶段有不同阶段的需求，西方企业的各种激励制度和管理方式都建立在对人性的理解上。所以，我在这里讲的建团队、设计激励机制、完成新老交替，以这种方式建立"铁打的营盘"，其实也没啥新鲜的。我建议大家多读、多看，不违背人性，自然在建设团队方面会事半功倍。

"扁平化"与"小而美"

　　在20多年前，电脑还是一个工具，一个高精尖的东西，离大众很远。今天连手机都普及了，大家每天没事的时候都在看手机。互联网也正是因为有了无线互联网之后才真正改变了这个世界，改变了我们每个人思考、工作和生活的方式。世易时移，在新的时代，企业的架构和管理方式也应该会随之而改变。

　　我不知道会变成什么样，因为从来没有别人这么做过。按照商学院的教材来做？但历史上工业时代、信息时代的架构已经不适用了，在互联网时代，产品运作模式都变了，管理模式应该是什么样的，我们需要一起探索。但是有一点是可以肯定的，那一定是扁平化的，一定是以产品和用户为核心的，一定是小而美的。

　　扁平化就是减少行政层级，把传统层层汇报的金字塔组织结构改为两层，最多三层。小而美就是把团队分解成无数小团队，按项目或业务分类等进行划分，人员灵活组合，项目启动快，能对市场和用户的需求做出快速反应。

现在很多互联网公司已经开始了此类尝试，阿里在不断分拆，到现在分成了 25 个事业部。腾讯把研发分为无数个项目组，比如在移动端社交产品方面，分为微信项目组和移动QQ项目组，通过不断竞争，也实现了自己内部的推陈出新和自我颠覆。

扁平化和小而美符合互联网时代技术更新快、产品需要小步快跑的需要。360 也做了一些调整，我们按照每条业务线划分了不同的事业部。我们成立事业部不是把原来的部门换一个名字，以便让大家有一个更好的职位名称。相反这些是最不重要的。这种组织结构的调整要让部门像一个小的创业公司一样，去独立发展。

当年公司只有几十人的时候，每个人的声音我都能听到。现在我们有6 000人。我最为担忧和痛恨的便是，360 还没有成为一家巨头却染上了大公司病。所以，我们迫切地需要这样一个个小团队来打破瓶颈。

而且这些小团队还可以随时随项目而变动，谁提出一个好的产品创意，就可以报上去，如果足够好可以直接获得我或者齐向东的批准。提出创意者可以自己去组建团队。包括我们最近发布的智键，就是公司的一群年轻人在内部的竞赛中提出来的，我觉得非常好，就立即让他们上马去做。

我也希望在我们公司里会有更多的年轻人涌现出来，做产品负责人，从产品负责人再变成业务负责人，能够像一个小首席执行官一样对自己的产品和业务负责。

将来，360 的这些小团队可能不再区分是无线还是个人电脑，每一个团队都可以做跨平台的产品，每一项业务并不是只有一个团队可以做。只要有更好的产品，有更好的想法，我们就支持。

这样就不再需要层层审批大的战略、宏伟的转型计划，可能一个小团队的产品直接就从手机转移到耳机上，整个公司就直接进入可穿戴互联网的未来。

公司不是只靠一两个创始人就玩儿得转的。再聪明的人，他的带宽和经历都是有限的。好的决策者应该把公司当成自己的产品，在公司这个产品上去创新、去调整架构，加快信息的流动，加快决策的速度，在公司里培养出真正更多的小首席执行官，培养出更多的产品和业务负责人。

如何在这样的时代给员工创造更好的土壤，让大家真的做到创新，敢想，不会被一些定式所束缚，怎样让大家能够学会更好地去做有体验的产品，怎样让大家能够贴近用户，这是调整组织架构的首要考量。

最后，我重申一遍，在今天这个时代，评价员工、评价团队、评价公司，价值标准永远应该是能不能做出对用户有价值的产品。这也是 360 最看重的。

周鸿祎批注"遗失的乔布斯访谈"

访谈内容摘自一段 16 年前遗失的、72 分钟长的乔布斯电视采访。1995 年接受采访时，乔布斯正在经营自己创办的 NeXT 公司。18 个月后苹果收购了 NeXT，又过了半年乔布斯重新掌管苹果。当年这段节目只用了一小段采访，之后采访母带在从伦敦运往美国的途中丢失。直到乔布斯逝世后不久，导演终于在车库发现了这样一份拷贝，这段珍贵的访谈内容才得以公布于世。

会制造噪声的团队，才会磨出美丽的石头

每次（新产品计划）刚开始的时候，我们有很多很棒的想法，团队对他们的想法深信不疑。这一刻，我总会想起我小时候的一幕。

街上有个丧偶的男人，他已经80岁了。我记得他花钱请我帮他除草。有一天他说：到我的车库来，我有东西给你看。他拉出老旧的磨石机，架子上只有一个马达、咖啡罐和连接两者的皮带。

我们到后院捡了一些石头，一些普通、不起眼的石头，然后把石头丢进罐里，倒点水，加点粗砂粉，把罐子盖起来。他打开马达说："明天再来看看。"

我第二天回来，打开罐子拿出的是令人惊艳、美极了的石头！

本来只是寻常不过的石头，经由互相摩擦、互相砥砺，发出些许噪声，结果变成了美丽光滑的石头，这件事我一直记在脑海里。

在我心里，这个比喻最能代表一个为理想奋斗的团队。集合一群才华横溢的伙伴，让他们互相碰撞、争执，甚至大吵，这会制造一些噪声，但是，工作的过程中，他们会让对方变得更棒，也让点子变得更棒，最后就会产出这些美丽的石头。

之后我加入惠普的一个团队。我12岁时曾致电惠普的比尔·休利特（惠普创始人），这又透露出我的年龄了。当时电话簿上没有隐

藏的号码，所以我打开电话簿查他的名字。他接电话时我说："你好，我叫史帝夫·乔布斯。你不认识我，我今年12岁，我在制作频率计数器，需要一些零件。"

他就这样跟我谈了20分钟，我有生之年不会忘记这件事，他不只给我零件，还给我工作。

那年夏天12岁的我在惠普工作，这对我影响很大，惠普是我在那个年纪见过的唯一公司。这次经历形成了我对公司的概念，也让我认识到他们是如何善待员工的。

当时人们还不了解胆固醇，他们每天早上10点会推出一大车的甜甜圈和咖啡，每个人都会在休息时吃甜甜圈配咖啡。很显然，惠普当时已经意识到，公司真正的价值在于其员工。

批注：这是我最有感触的地方。很多人都希望自己的团队很和谐，大家相敬如宾，说话客客气气。但其实每个人的想法都是不一样的。很多时候大家为了追求表面上的和谐而委曲求全，很多想法不愿意讲出来。好的想法是需要争论的，就像石头需要经过摩擦、磨砺、打磨，最后才能变得美丽光滑。这个比喻既是说团队也是说合作伙伴，他们都会有碰撞、争论、大吵。

360也有这种气氛，我也希望能继续保持这种风格。每个人都要意识到并接受这种磨砺的过程，这应该成为一种典型的企业文化。在美国有像乔布斯这样二次创业的成功者，但是也有很多企业走向衰落，就是因为大家都很客气，不再有争论，领导层根本听不到大家不同的意见。

A级人才的自尊心，不需要你呵护

我很早便在苹果观察到一件事，我常常想到，但不知道该如何解释。

人生中大多数事情，平庸与顶尖的差距通常只是2∶1，假如在纽约搭出租车，与一般的司机比，最棒的司机也许能让你快30%的时间到达目的地。

普通汽车和顶尖汽车的差异有多少？也许20%吧。顶级CD播放机和一般CD播放机的差别？我不知道，也许20%吧。因此，2∶1在人生中已经是极大差异。但是，就软件而言，平庸和顶尖的差异可能达50∶1，甚至是100∶1，这种情况在生活中很少见，我很幸运能把我的人生倾注在这样的领域里。

因此我大部分的成功来自找到真正有天分的人才，不是B级、C级人才，而是真正的A级人才。

你可能千辛万苦才找到5个人，而他们真的喜欢一起工作，他们以前从没有这样的机会。从此，他们就不想再和次级人才共事了，这变成一种自我约束的行为，他们只想聘请更多顶尖人才。

假如你找到真的很棒的人才，他们知道自己真的很棒，你不需要悉心呵护他们自尊心。真正重要的是工作表现，这大家都知道，最重要的是工作表现。

我想，你能替他们做的最重要的事，就是告诉他们哪里还不够好，而且要说得非常清楚，解释为什么，然后把他们拉回正轨。

你必须用不会让他们觉得你质疑他们能力的方式说，但是你也不能留给他们太多空间，解释为什么东西做得不够好。这很难，所以我一向用最直接的方法。那些跟和我共事过的人，那些真正杰出的人，会觉得这个方法对他们有益，有些人的确很痛恨这种方法。

我有时会骂某人的工作成果像大便，但一般只会指出他们离够好还差得很远。

若问麦金托什团队成员，很多人会说他们从不曾如此卖命过，有些会说那是他们最快乐的时光。不过所有人都会说，这肯定是他们人生中最强大也最珍贵的经验。

批注：平时我会花很多时间跟团队去争论，去讨论。团队做得不好，我会比较直率地告诉他们，这是我的个人风格。我的一些观点跟乔布斯是一样的，我看不上的人，我就不会跟他合作。我跟你合作证明我很看重你，但是我既然跟你合作，我就要不断地去挑战你，要帮你发现问题，希望你能改进。我觉得一个真正有能力的人，应该是不怕挑战的。应该把这种挑战转换成对自己的磨砺，竞争对手是最好的磨刀石。

但是可能在美国文化里大家的沟通更流畅。在中国，不是所有人都能接受这种做法，有人可能会觉得我比较简单粗暴。有的人可能会觉得总被不断地挑战，面子上受不了。很多有能力的人，他们的思想和精神却不够强大，有时候不一定能接受这种挑战。

乔布斯跟我想说的一样，就是你不需要什么自尊心，真正重要的是工作表现。但是实际上这句话容易说，却难做。我有时候也不得不考虑这些人的自尊心。A级人才，很容易获得一些阶段性的成功，所以可能会变得更自负。另外，中国人其实不太喜欢这种当面的冲突，这种冲突过大或者过于频繁，很多人确实从面子上接受不了，这是一种文化的差异。

作为领导者，乔布斯肯定是很挑剔的，其实我对360公司的产品也是这样。通过挑剔，通过不断挑战，确实可能产生很好的结果，但是这个过程会让大家觉得很痛苦。这也是今天我们面临的问题。

有时候大家都认为公司规模做大了，我应该更像一个成熟的企业家那样，说话有分寸，有礼貌，对团队应该多激励。其实我也很想激励团队，但是这点上我非常认同乔布斯，他认为结果是最好的激励。所以我也跟团队讲，你们是要结果快乐还是过程快乐？如果要结果快乐，过程可能很痛苦；如果我们过程很快乐，大家发现问题都三缄其口，结果可能就不一定快乐。也有很多人不认同我的说法，他们认为结果快乐也不一定要过程痛苦。但是我总觉得如果没有内部的挑战，没有反复的磨砺，最后你的产品到市场中去，未必能胜过别人。

真正的魔法，是用 5 000 个点子磨出一款产品

我离开后，对苹果最具伤害性的一件事是斯卡利（苹果前首席执行官）犯了一个很严重的错误：认为只要有很棒的想法，事情就有了九成。你只要告诉其他人，这里有个好点子，他们就会回到办公室，让想法成真。

问题是，好想法要变成好产品，需要做大量的工作。

当你不断改善原来那个"很棒的想法"时，概念还会不断成长。

结果通常跟你开始想的不一样，因为你越深入细节，你了解得越多。

你也会发现，你必须做出难以两全的取舍，才能达到目标：有些功能就是不适合电子产品做，有些功能就是不适合用塑胶、玻璃材料做，或是工厂就是做不到。

设计一款产品，你脑海中可能要记住超过 5 000 件事，把这些概

念组合在一起，经过运作，达到你要的效果。

　　每天你都会发现新东西，这同时代表新的问题和新的机会。让最终的组合有一点点不一样，这才是真正的"流程"，也是真正的魔法所在。

批注：我们经常会有这样的错误想法：我有个很棒的点子告诉别人，别人去做就成功了。其实并不是这样的，你要把一个想法变成产品，中间需要大量的辛苦工作。在这个过程中，需要不断地调整，不断地反复。

　　很多公司都会产生幻想，包括我在内。我幻想着，我有这么多员工，我只要不断地告诉他们好的想法，就能源源不断地产生好的产品。但这只是幻想，好的产品是持续不断地打磨出来的。

　　我是中国最早做搜索的人之一，搜索对我来说并不是新东西。我帮雅虎也做过很好很快的搜索。做搜索的这个点子可能人人都知道，行业里也有无数的人预言该如何去做。但是真正要做搜索的时候，你会发现不能只有一个想法，还要投入很多人力物力。比如我们要找与众不同的地方，要考虑在产品体验上怎么颠覆对手，在推广方式上怎么颠覆对手，在商业模式上怎么颠覆对手。这不能只靠一个点子，需要不断地调整、尝试，不断地试错和更正。

　　很多年轻的创业者往往有个误区，总以为有一个想法就能成功。很多人没有丰富的实践经验，就把自己当成诸葛亮，不出茅庐，也知天下事，以为自己在屋里看看书，看看行业评论，想出一个点子，只要再拿到一笔钱就能够一举成名。这都是一种误导，一个好的想法就算方向对了，也仅仅是万里长征迈出的第一步。

经常有人写信给我，说他有一个点子可以教会我怎么击败谷歌，怎么击败百度，怎么击败腾讯。这种信我都不会去看了，因为我觉得他们缺乏丰富的实践经验，光有一个点子是没有意义的。

上次有一个年轻人写信给我出了一个点子，说刷机是一个很好的方向。其实当时我们行业里已经有好几家公司在做刷屏了，所以我们当时也已经在谈投资类似的公司。结果当这个年轻人知道我们投资了这家公司之后，他来找我们要钱，因为他给我们提供了这个点子……

其实我觉得这件事并不可笑，但我恰恰觉得这种想法会把人给害了。曾经有一段时间，我们行业里经常会宣传一些文章，一个点子就能拯救一个企业，这就把人导向了错误的方向。我觉得很多点子刚开始都是二流的点子，要有一流的人才不断地打磨，才能最后实现转换。所以这个行业里有很多公司，做成功的时候，和创始人最开始的点子已相差很远。

我们最早做 360 安全卫士的时候，有一个点子就是查杀流氓软件。看起来很简单，但是真正去做这件事时，你就知道要历经多少艰辛。当时，360 变成了公敌，因为捅破了行业的潜规则，被人不断地骂，被人耻笑。团队内部有些人也不认同，投资人也觉得奇怪。即使 360 取得了一定的用户量，还有很多人觉得你把流氓软件杀完了，你不就没有市场了吗？但是我们从杀流氓软件转换成杀木马，再转换成免费杀毒。免费杀毒也不赚钱，再转换成去做浏览器，再做网址站，再做导航。这和乔布斯说的很像，需要不断改善原来那个很棒的想法，不断地成长。

我觉得乔布斯确实是一个很有经验的人，所以他说的这些话跟我们很容易产生共鸣。看乔布斯的文章，没有企业运作经验的人会一头雾水，甚至会误读。这就像你没有练过武功，给你一本《九阳真经》，你读起来可能会走火入魔。但是你如果本身有一定的功力，你再看它就会感觉字字珠玑。

做出好产品的关键因素，不在于很会管理流程

1984 年我们从惠普聘请了一批人（设计图形界面电脑），我记得和一些人大吵过一架。他们认为最酷的用户界面，是在屏幕底部加上软体键盘，他们没有等比例间距字体的概念，也没有滑鼠的概念。

他们对我大吼大叫，说鼠标要花 5 年来设计，成本高达 300 美元。最后我受够了，就去外面找到大卫·凯利设计，结果 90 天内就有了成本 15 美元的滑鼠，而且功能可靠。

我发现苹果缺少这种人才，能多面向掌握这个想法的人才。的确

要有一个核心团队，但由惠普人马组成的团队显然不行。

这和专业的黑暗面无关，这是因为人们失去了方向（指惠普团队无法多面向思考），随着公司规模越来越大，他们便想复制最初的成功。许多人认为当初成功的过程，一定有其奇妙之处，于是他们开始尝试把当年的成功经验变成制度。

不久人们便感到困惑，为什么制度本身变成了答案？这就是IBM失败的原因。IBM拥有最好的制度管理人员，但他们忘了设计流程的目的是找到最棒的答案。

苹果也有这个问题，我们有很多人很会管理流程，却不知道如何找到答案。最好的人才能找到最棒的答案，但他们是最难管理的人，你不得不容忍他们。

会找答案——这就是好产品的关键因素——不在于管理流程而在于答案本身。

批注：乔布斯比较反对大公司的烦琐流程，我也喜欢一竿子插到底。我觉得所有的管理流程，实际上都是为公司的业务服务的。如果我们抛弃了业务的目标，变成了为管理而管理，天天在那儿搞架构，搞流程。但一旦脱离了产品，实际上就脱离了市场，脱离了用户需求。这种公司基本上就是靠惯性在发展，它很快就会被市场颠覆。

但是随着公司的壮大，公司的人越来越多。公司小的时候不需要流程，公司大了没有流程确实管不了。然后我们就请一些专业的管理人才进来，建立管理流程。流程建立之后，一方面让你觉得公司易于管理了，但另一方面给很多有创造力的人又增加了麻烦。

A级人才是为了理想，为了自我价值的实现做事情的。这样的人是不需要管理的，也不需要流程去约束，这样他们才能做出伟大的产品。但是这样的人真的很少。公司大了，你需要的人多了，就意味着你不得不用很多平庸的人。用普通人你就需要一个管理流程，就要把有些东西给模式化流程化。但这种管理一定会带来一个平庸的公司，这就是管理上的一个悖论。

所以我认为至少要像开设经济特区一样，在一块特殊区域，放弃流程，聚集一帮很特别的人才，把眼睛聚焦到产品之上。360就有这样一些很小的小组，都是由我亲自领导，直接向我报告。我与其说像他们的领导，不如说更像他们的教练。我希望用这种小团队、目标明确、快速推进的方法，产生一些新的、有创新力的产品。

我们不羞于窃取伟大的想法

你问我对产品的直觉从哪里来？

终究可以归结为品位，这是品位的问题。重点是让自己接触人类

的精华，努力将之融入你在做的事情里。我的意思是，毕加索曾说过，"好的艺术家懂得复制，伟大的艺术家则擅长偷窃"，而我们不羞于窃取伟大的想法。

我觉得麦金托什成功的原因，在于其创造者是音乐家、诗人和艺术家、动物学家和历史学家，他们正好也是全球最棒的电脑科学家。如果没投身电脑科学，他们在其他领域也会有杰出成就。我们都为电脑带来了人文气息，这种人文的态度让我们从其他领域引进想法，眼光狭隘是不可能做到的。

我们能做出一个小东西，来控制巨大的东西。

批注：乔布斯没有讲自己的灵感像孙悟空一样都是从石头里蹦出来的，所有的想法都是大脑想出来的。他承认别人的东西给了他灵感，不过他用了"窃取"这个词，我认为他很谦虚。其实很多产品的概念都不是凭空产生的，都是从一个别的想法中诞生出来的。

现在，很多人都在鼓吹创新就等同于发明了一个新东西，或者说要做一个别人从来都没有想过、从来都没有做过的东西，还说乔布斯很擅长干这个。但是乔布斯自己都承认了，他的很多想法都是从别处借鉴而来的，包括他小时候做的第一个产品正是因为读了别人一本书。他当年做的那个界面操作系统、鼠标，这些概念都不是他发明的。乔布斯做得最牛的产品最早是iPod，但MP3播放器也不是他发明的。iPhone卖得火，但智能电话这个概念也不是他提出来的，甚至平板电脑也是微软最早做的。所以乔布斯并不善于发明新东西，而善于在大家已经觉得习惯的市场里换一种不同的做事方法，要么是商业模式上不一样，要么是产品体验不一样。这个产品体验就是一次能装很多歌，不是装几十首，而是能装成千上万首；就是你到他的网上去买歌，一首只花 1 分钱。

做 iPhone，乔布斯实际上进入一个很成熟的智能手机市场。当时在这个领域，有摩托罗拉、诺基亚、黑莓，包括微软都有很大的市场份额。但是乔布斯重新定义了智能手机的体验。为什么需要键盘呢，为什么不能用触屏呢？这里面主要的功能为什么一定是打电话呢，为什么不能是玩儿游戏和用别的应用呢？所以你会发现乔布斯一方面总是在借鉴别人的东西，但是又用 "think different" 的方法实现了一种超越和突破。"我们不羞于窃取伟大的方法"，就是说我们不要怕去借鉴，但是一定要在别人的方法上加上自己独特的东西，那和抄袭是不一样的。

除此之外，乔布斯还说过一句经典的话 "Stay hungry, stay foolish"（求知若饥，虚心若愚），我对此也深有感触。我认为我有一个能力，就是我很善于学习，特别是在我不懂的领域我会问很多问题，然后我就可以快速获取别人积累的知识和经验。我认为学会问问题是很重要的，就是你能从不同的视角看问题。在内部我们提倡丰田的一种方法论，丰田有一个理念叫"五个为什么"。意思就是，你对于任何一个问题不要看表现就得出结论，而是要不断问"为什么"，不断地深入下去，这样你才能够探究事情的本质和由来。我也非常认同这一点，这和乔布斯讲的"stay foolish"的概念是一样的，就是说你要把自己当成一个傻瓜，这样你才能够真正地放空自己，才能去问出问题。小孩子是最容易发问的，大人反而心智被塞满了之后，对很多东西没有好奇心了。我们觉得事情本来就是这样子的，就司空见惯了，不再去问"为什么"。乔布斯还说要"stay hungry"，保持一种饥渴感，就是你如果觉得自己都很好了，就不会保持进取心了。这实际上也体现了乔布斯的一种学习能力。但是现在很多人有了太多的知识后，特别是有了经验之后，再有点成功的记录，往往会变得比较自我、自负，老是说"我认为"，"我觉得"，已经忘了去问问题，去问"为什么"。问问题实际上是一种非常好的沟通方式。否则大家在讨论的时候都是试图拿自己的东西来说服对方，就容易形成无谓的争论。但是如果大家都能够抱着问问题的态度，可能最后我们能一起找到真正的答案。

　　我第一次接触电脑是10岁左右，是去美国宇航局艾姆斯研究中心时看到的。当时的电脑根本没有图像显示，那实际上是印表机，是有键盘的电传打字印表机，你可以键入指令，等一会儿，机器会开始运作，然后告诉你答案。但即便如此，还是很了不起。

　　后来的故事你也听过，我们在《君子》杂志上读到，有个叫切奇队长的家伙，据说他可以打免费电话。我们被这事给迷住了：怎么有人做得到这种事？有一晚，在斯坦福大学线性加速器中心的技术资料库某个角落的最后一个书架上，我们发现了AT&T（美国电话电报公司）的技术期刊，上头列出了整个原理。那也是我永远不会忘记的一刻！

这实在很神奇！我们制作了这些小盒子，这种装置被称为"蓝盒子"，我们在底部加了张小纸条。我们的标语是"一手掌握全世界"。

你可以利用公共电话，通过网络主干到怀特普莱恩斯市（White Plains），然后接卫星到欧洲再到土耳其，然后经由电缆回到亚特兰大。你可以环游世界五六次。因为我们学会如何连接卫星，你可以打给隔壁的公共电话，然后对着话机大喊，一分钟后声音会出现在隔壁电话里。就是这么神奇！

你可能会问，这哪里有趣了？有趣的是我们很年轻，我们可以一手打造出能控制数十亿美元设施的装置。就凭我们两个人，你知道我们懂得不多，能做出一个小东西来控制一个巨大的东西，这是无比宝贵的经验。

假如没有这个蓝盒子，我不认为会有苹果电脑的存在。

为测试蓝盒子可以打免费国际电话，我们的确拨给过教皇。我们找到梵蒂冈的电话，然后沃兹尼亚克假装自己是基辛格拨电话给教皇，结果惊动了整个教廷。

我根本不晓得枢机主教是什么。他们派人唤醒教皇时，我们终于忍不住大笑，他们才意识到我们不是基辛格。我们从来没跟教皇说上话，但实在很有趣。

批注： 乔布斯他们做了一个免费打电话的东西，竟然想到给教皇打电话，从某种角度看是年轻人的调皮，无所拘束，也反映出他们藐视权威。教皇大人，就是一个半夜打电话去骚扰的对象。这就是一种无畏的精神，一种颠覆感。

但是在中国，如果有这样的人，他是很难生存的，因为他不会被大家喜欢，他可能不符合中国传统的价值观。就像我经常说的我们要搞颠覆式创新，破坏式创新，小企业要考虑怎么破坏市场里已有的巨头，已有的商业模式。这在美国被认为是商业文明进步的动力，会是美国商学院主流的教材。但是在中国，首先"破坏"和"颠覆"会被认为是两个坏词。

你真正去做颠覆的时候，就会被当成一个搅局者，一个破坏者，你的想法在别人认为简直是匪夷所思。就像我们当年做免费杀毒的时候，所有人都嘲笑这个想法，都认为它不可能，太疯狂。然后等你去做的时候，所有人都等着看你的笑话，都预言你一定会失败。如果你真的很不幸失败了，所有人都会觉得理所应当。因为我们中国人害怕失败，崇尚成功，所有人都会嘲笑你，然后你就会变成一个悲剧的形象。但是如果你有幸实现了颠覆，你让市场行业巨头有所触动，开始改变行业格局，你一定会成为巨头绞杀的对象，各种造谣、中伤、抹黑会迎面而来。所以我觉得在中国真正像乔布斯那样能够与众不同，能够不断地想着颠覆这个市场的人，将面临巨大的压力。

我创业从来不是为了钱

公司拥有了独占性的市场地位，不可能再成功了，所以能让公司更成功的人，是业务和营销人员，所以最后变成他们经营公司，而产品人员被赶出决策圈，而公司忘记做出好产品的重要性。当初是对产品的敏锐和创意，让他们独霸市场，后来却因经营人员的主导而消失殆尽。他们对产品好坏没有概念，不懂得如何将好构想变成好产品，他们也没有真的想帮客户的心。

批注：很多公司是以营销为导向的，但还有很多是以产品为导向的。在早年，你作为一个理想主义者很难成功，因为你没有经营，就活不下来，活不下来就谈不上做产品发展。但是这些年，互联网得到发展，特别是有了风险投资之后，年轻的创业者可以融到资，在创业初期，可以不用担心资金的问题，这实际上给了大家一个机会，也让一种真正以产品为核心的文化开始流行起来。

我当然鼓励以产品为核心，因为一个公司真正的价值就在于给用户提供有价值的产品。好的产品自己会说话。但是如果没有好的产品，依靠营销的力量，产品的销售可能能够延续一段时间，但是肯定不能持久。乔布斯之所以以产品为王，是因为用户至上、用户体验都是以产品为出发点的，所有的营销都是为产品服务的。

你得承认苹果在营销方面做得很出色，比如说苹果店，它本身就是一个很好的营销想法。店员在苹果店里叫作"genius"（天才），给大家提供帮助，这都是很好的营销思路。所以从某种角度来说，乔布斯自己也是一个好的营销人员，包括苹果的广告也很酷。但是，我觉得乔布斯讲这段话意思是说如果脱离了产品，营销就会变成行尸走肉。

在业界摸爬滚打这么多年，我常问别人为什么做某些事，得到的答案都是：事情就是这样。没有人知道他们为什么这样做。

做生意没有人会真的深思熟虑，这就是我的体会和认知。因此如果你愿意问问题，仔细思考，认真努力，你很快就能学会做生意，这不是多难的事情。

我身家超过 100 万美元时才 23 岁，24 岁身家超过千万美元，25 岁就超过亿万美元。但钱没那么重要，因为我创业从来就不是为了钱。当然，有钱是很棒的事请，因为它让你有能力做很多事。

你可以投资短期无法回收的创意和想法，最重要的是公司、是人、是我们制作的产品以及产品给人们带来的好处，所以我不常把钱放在心上。你知道我没卖掉一张股票，我真的相信公司长期会很有发展。

我小时候在《科学》杂志上读到一篇文章，测量地球上各物种的运动效率，有熊、黑猩猩、浣熊、鸟类和鱼类——它们移动每公里需要多少卡热量？人类也接受了测定。

结果是兀鹫胜出，它是最有运动效率的物种，而万物之灵的人类表现不怎么起眼，排名只到前1/3左右。不过有人很聪明，懂得测量人类骑自行车的效率，这让兀鹫甘拜下风，称霸整个排行榜。

我记得这件事对我影响很大：我谨记人类是工具的建造者，我们所建造的工具可以大幅增强我们与生俱来的能力。早年在苹果真的有这样的广告，说个人电脑是心灵的自行车。我衷心相信，在人类所有的发明中，电脑的排名一定高高在上，日后看来必定如此，它是我们发明过的最棒的工具。很幸运能躬逢其盛，能在硅谷亲眼见证它的成形。

太空旅行中差之毫厘谬以千里。出发时若能稍微调整航向，到了太空中便有极大差别。我觉得我们仍在航道的开始处，假如能够朝正确方向调整，我们会有更大的发展机会。我们会做出几次调整。

批注：很多人也不理解我已经挣到钱了，已经把一个公司做上市了，为什么天天还在琢磨着要改变世界，要颠覆行业的事情。我创业也不是为了钱，因为我能用各种方法挣到钱，我对这点还是很有自信的。甚至在方正的时候，虽然我的工资很低，但我利用业余时间在中关村摆摊，帮别人修电脑也能挣到钱。

对我人生影响很大的一本书是《硅谷热》，那本书里一个很重要的案例就是讲苹果电脑。书中讲你可以创造出一些与众不同的产品，然后通过这些产品影响大众的生活，影响他们的生活方式，甚至可以改变世界。我觉得这就是一种成就感，这就是我创业的目的，或者叫我的梦想。

所以我经常说，如果创业者给自己设立了一个物质化的目标，这种目标很难支持人长期做下去。因为你只是为了赚钱，一旦遇到困难，你会说，"算了我何必吃这个苦呢"，随时都有可能放弃。另外，有各种各样的赚钱方式，不是说只有做产品一种方法，倒卖东西也可以赚钱，可能你会很快偏离自己的创业梦想。或者说你以赚钱为目标，一旦你真的创业成功了，赚到了钱，你创办的这家公司上市了，你就很容易失去目标，因为你已经赚到了足够的钱。为什么很多人少年成功，特别是好莱坞的童星们，后来就越来越不顺，就因为他过早地成功了，然后就没有目标了。所以我觉得只有放弃这种物质化的目标，创造出来别人没想过的或者根本想不到的产品，去改变，去颠覆，你的人生才会有莫大的乐趣。正如笛卡儿所说，"我思故我在。"

很多时候，除了钱，我们更多地需要的是一种成就感。成就感也是一种存在感，就是你觉得自己被人需要。比尔·盖茨已经富可敌国了，他为什么要去做一家慈善机构？是因为挣钱对他来说已经没有意义了，他需要花钱去帮助别人，他要找到一种存在感。这样他才感觉到别人需要他。所以要有一点理想主义色彩，才能支持你长期坚韧不拔地把一件事干下去。其实乔布斯在最落魄最失意的时候，已经在苹果挣到钱了，后来他还创立了皮克斯，并把它卖给迪士尼，所以乔布斯从来不缺钱。如果以钱为目标，他根本没有必要在得了癌症之后还这么拼命。

曾经有一个著名的登山者，为了能登上一座山，把手指头、脚指头、耳朵都冻掉了。别人问他后不后悔，他说他不后悔。别人就问他动力是什么，因为这既不是奥运会，他也不能得到奖金。他说他就是要征服那座山。创业者也正是需要这种感觉。

我很显然是嬉皮，与我共事的人也都是嬉皮

如果不得不选择，我很显然是嬉皮，与我共事的人也都是嬉皮。什么叫作嬉皮？这是个含义丰富的古老字眼。

人生有人们不常谈到的一面：当人生出现空隙时，我们才会体验到，那种时候一切都显得混乱，仿佛出现了缺口。历来许多人会要你找出那个缺口是什么，无论是梭罗还是印度的神秘主义者，嬉皮运动也有那么一点味道，他们想找出那是怎么一回事，即人生的答案。

人生并非走父母的老路，有思想因此萌芽，因此人们才会想成为诗人而非银行家，我觉得这是件美妙的事情。我想把同样的精神放进产品里，这些产品出来后到人们的手上，他们便能感受到这种精神。

　　使用麦金托什的人都会爱上它，而你很少听到人们会爱上商品。你能感觉到它的存在，其中包含着某种奇妙的精神。与我共事过的顶尖人才，大部分都不是因为电脑才入行，他们进电脑这一行是因为，这是最能传递感觉的媒介，因为他们想要与他人共享。

批注：嬉皮，我认为就是当年那个时代的屌丝。为什么这么说？六七十年代兴起的嬉皮士们自认为是垮掉的一代。他们着装非常颓废，和穿着打扮得体的中产阶级、上流社会相区别。当时的上流社会肯定是白富美和高富帅，嬉皮跟他们不一样就是屌丝了。所以这句话我觉得应该翻译成乔布斯认为自己是屌丝，做工作的都是屌丝。

　　无论嬉皮还是屌丝其实反映的都是一种心灵的自由，都是挑战权威，不遵守当时的规则。我觉得这才是苹果"think different"的思想和来源。做事一模一样、循规蹈矩的人我觉得是不太可能"think different"的。所以当时的嬉皮藐视权威，藐视所谓的高富帅和白富美，藐视当时的主流价值观。他们追求的是与众不同，特立独行，追求一种多元的文化。

　　旧金山是美国嬉皮士运动的发源地，也是最主流的运动场地。所以我觉得这种嬉皮精神和硅谷科技结合在一起，才有了硅谷的创新。我见到的硅谷创新者与创业者，都是藐视大公司的。每个年轻人都认为自己有一个想法可以改变世界，而不是说按照世界已有的规则去做。这和"Stay hungry, stay foolish"思想是一脉相承的。